武俠誌

天馬行空 破格創新

謹以此書獻給疫情與戰爭的犧牲者

三國無常
貳
濁亂青空
謝鑫 著

目錄

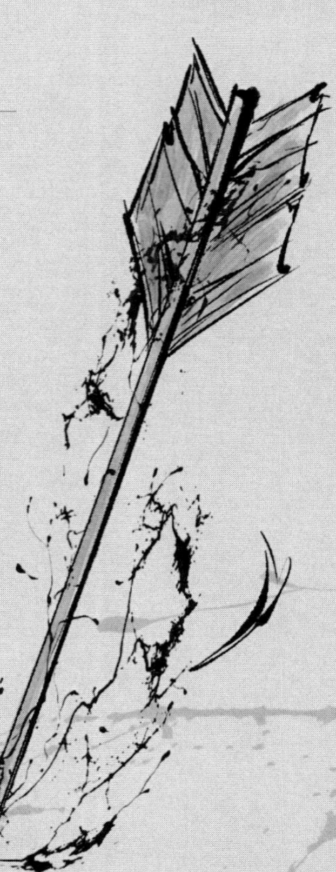

推薦語

台灣 YOUTUBER 英雄說書 說書人 阿睿

鄉野傳聞，生前若心有罣礙，死後成為亡魂，難以轉世超生。然而，三國英雄中，又有哪個人不是抱憾而終？

歷史上，孫策是被一支意外的冷箭終結夢想；《三國無常》裡，小霸王卻是在步入魂界後，才意識到自己人生，早已被家族的累世枷鎖束縛。

世道濁亂，生死險阻，這樣的故事虛耶？實耶？敬邀世間三國癡，共解其中味。

前文提要

孫策因為一段家傳承諾，於死後受于吉的引領成為了無常，並捨棄家姓和父母所贈之名，自稱為無常之符。符超度亡魂的途中，屢屢遇上與他父親孫堅相關的人，讓他深刻感受到，這是一場受人引導的旅程。最終，符在洛陽遇上他曾經最痛恨的人——孫堅。

孫堅同樣因為家傳承諾成為了無常，卻對洛陽殘存的漢室龍脈虎視眈眈，終受龍脈反噬成為了大漢亡魂的傀儡。

雖然，父子二人合力下，終壓制了龍脈，但孫堅卻逃不過司命項羽的制裁。符亦因而得悉了兩個秘密：一，是家傳承諾的真相，竟是符的引路人于吉，同時亦是其爺爺孫鍾，為了讓孫家得到帝王之命，以孫家三個娃兒作為代價交換；二，是孫策之死的真相，竟與他的兄弟有關——

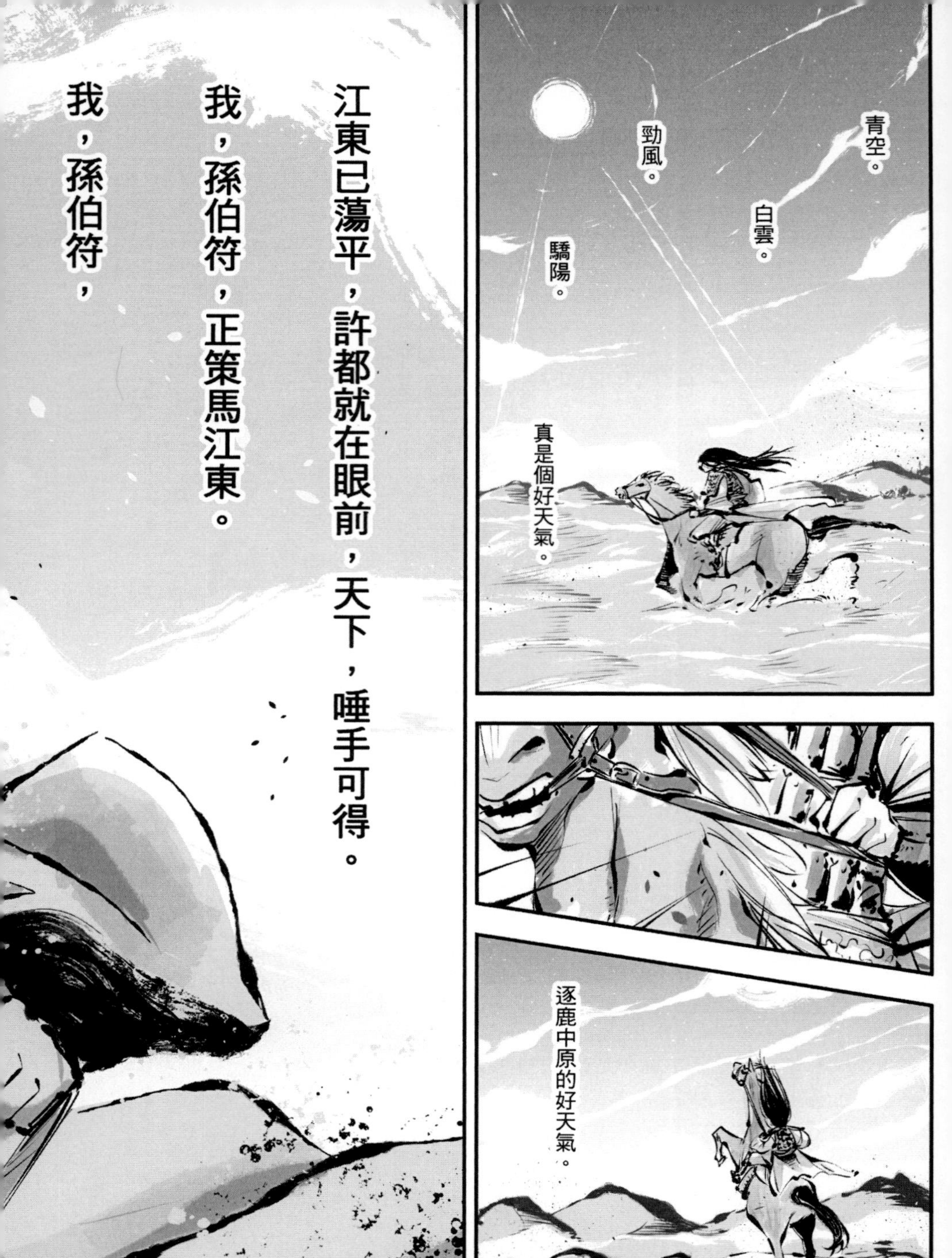
青空。
白雲。
勁風。
驕陽。
真是個好天氣。
逐鹿中原的好天氣。
江東已蕩平，許都就在眼前，天下，唾手可得。
我，孫伯符，正策馬江東。
我，孫伯符，

要跨出你沒能跨出的那一步，
劍指中原！

一 歸程

可惜。

可惜如此好天氣，卻仍有不知好歹之輩來打擾。

我聽見利箭破空的聲音。

不等它闖近，我已挺槍一挑，將之折斷。

又是哪一家破落江東望族要來復仇嗎？

還是曹操派來的刺客？

算了，是誰派來的都沒關係。

就讓他們成為小霸王的美談吧！

小霸王？

不，我才不滿足於這種矮人一截的稱號。

江東霸王？

也不。

我的大願只有天下，亦只有天下才容得下我的名號——

天下霸主！

唉。

我又聽到了，利箭破空的聲音。

這次是從身後射來。

但這箭的聲音有點不妥。

我轉身察看，卻發現……這箭的射線太低了吧？

是哪來的新手？

嗤，真掃興。

只是，我沒想到。

沒想到這看似不入流的箭矢，撞到地上後，竟立馬躍起，直刺向我胸口。

我馬上迴腰閃避，這箭還是射中了肩頭。

然而，可怕的是，這箭之後還有另一支箭。身軀扭曲的我無法再閃避，只能任由它，直沒入我的面門。

墮地。

然後，眼前一黑——

「如何，找到蛛絲馬跡了沒？」靠坐在斷壁上的禰衡，一邊將手腕變化成各種飛禽走獸的爪子，一邊問道。

「我都忘了，世界曾是如此的斑斕，天空的藍，浮雲的白，清風的澈，還有驕陽的奪目。」伯符昏沉地喃喃自語。

二　歸程

「怎麼，你還曾是個詩人嗎？」

「亡魂當久了，以為世界又回復了色彩，但原來，只是我習慣了這片灰濛，她仍是初逝時的那般暗淡，畢竟，鮮艷屬於活著的人，我再努力，也不過是一襲染上血紅的死灰。」伯符冷冷地笑了笑。禰衡卻饒有趣味地打量著他。

「當時的情緒太高漲，看不清周圍。」完全清醒過來的符，這才回答禰衡最初的問題。

二人身處一座死灰處處的廢墟，焦黑的殘骸連接著遠處倖存的城牆，那曾經奢華的外衣，都被火燻雨洗褪去，露出那本來的灰褐，直連上那片灰茫茫的天，環成一堵困鎖天下蒼生的高牆堅壁。這裡是曾經的大漢帝都——洛陽。

洛陽城上不但烏雲密布，還隱伏著隆隆轟鳴。冬風拂過頹垣，初雪未落，已為殘城披上一層厚重的肅殺。

然而，城再殘，畢竟曾是國都，曾是皇城，理應不該如此，即使董卓的亂火再凶險，也不過是焚毀了皇宮一帶，雖稍稍波及了附近，但洛陽之大，豈是一把火能燃盡？但洛陽再大，無人之城亦不過徒為石堆，無異於山野。所以董卓不單放了火，還挾走了人。但董卓再專橫，董軍再驕縱，亦無法挾走全洛陽的人。但董卓不劫多，卻挾盡對一國來說最不可或缺的一群，挾君王、挾皇親、挾國戚、挾官宦、挾商賈，還挾走了所有工藝匠人。

一夜間，洛陽只餘下一群凡人庸人，失去了那群被挾走的人後，凡人庸人也失去了謀生的對象，亦自然四散。若說城樓建築，是一京之軀，那貴冑人才就是一都之靈，那頹垣敗瓦，人去樓空的洛陽，無疑已成了一座死城荒都。

縱使如此，但她仍有著魂，有著作為皇都的必要條件——龍脈。只要龍脈仍在，縱使再稀薄，這城仍有著魂。所以符一行人，才會重臨洛陽，因為龍脈仍在。

龍脈仍在，本應如此。

只是，當一行人重臨洛陽，來到那龍脈洞穴，才驀然發現，龍脈已近乎枯竭。是被孫堅吸乾了？是因為沒封好所以四散了？還是……不管是甚麼理由，總之最後的一丁點殘餘，都被用在符方才的記憶重溯之上了。

「看來這就是極限了，本以為來洛陽可以再借龍脈重溯你中伏的情景，以找出下手之人，卻沒想到竟然乾枯了。」佇立著的無常華雄閉目說道：「既然沒了龍脈，那就試試回到現場吧，在那重溯記憶，說不定會更清晰。」

「有道理，那起行吧。」符答。

「那，就此拜別了。」華雄卻道：「我尚有任務。」

「這樣啊，繼徐榮大哥之後，又要與你分別了。」

「吾等早是已死之身，別離不過尋常。」

「但我們現在是無常了啊？」符自說自笑，然後道：「但願仍能再見吧。」

華雄微微地笑了笑，便轉過身來，提起被亂扔地上的，那昏迷著的董卓，輕鬆地扛到肩上，然後望東北而去。

「他走就走，為甚麼還要抬走那肥豬？」禰衡撫著下巴問道：「按理，不應該是由司命處理的嗎？」

「或許是司命大人覺得那時走得太帥氣，不便回頭再取吧？」符又再自說自笑：「不過感覺無常這一行，仍藏了不少秘密。」

「劍痴那傢伙，倒是無官一身輕呢。」

「你不也一樣？遊手好閒的。」

「呵呵，羡慕妒忌恨？」

「沒錯，我也想學徐榮大哥那樣，找個深山修行，好看看靈魂這東西的能耐和極限。」

「何不同去？莫非無常這職位還有甚麼法力束縛著嗎？」

「其他無常那倒不清楚，只是束縛著我的，是另一回事。」符昂首東望，眼中不覺滲出幽幽的怨恨。

「呵，知道是誰指使的又能怎樣？復仇？你都死了，也碰不了活人，還怎麼下手？」

禰衡不自覺流露出靜待好戲的眼神。

「我想知道的，不是誰派人下手，而是為何下手。」符閉上雙目：「是為了自己？為了家族？為了霸業？是怎樣的大願，才能讓兄弟對我倒戈相向？」

「就沒可能是那個叫周瑜的外人嗎？」

「他不是外人。」符淺淺笑道，然後邁開腳步。

禰衡凝視著符的背影，直到看見一縷又一縷幼細如髮絲的黑煙靜靜滲出，才滿足地抖了抖，心想：「呼呼，再怎麼強裝，怨氣還不是散發出來了？這才是我所好奇的小霸王嘛！」

禰衡用手指揉順了興奮跳動的眉目後，就跟上了符的腳步，爽朗的亂吟道：「嗚呼，又是一趟只有你我二人的旅程，哀哉！」

「喵！」躲在符懷中的翊不滿地嘶了一聲。

「啊，都忘了還有隻小畜牲呢。」

「而且這趟不是旅程，是歸程。」符邊道邊笑著撫弄生氣的翊。

洛陽城外烏雲密布，隆隆轟鳴越發壯盛。冬風拂過城外木林，在雷鳴聲中，初雪緩緩飄落，為天下披上一層厚重的肅殺。

歸處 二

是年江東，漫沒在一片霜白之中，讓甚少親睹雪景的小孩都樂成一片，但歷經戰亂的長者們，都暗自擔憂，何況這年不單下雪，還是在冬至之日，雷雪同臨。老人都言此乃大不祥之兆，彷彿黃巾之亂、董卓禍政、曹操屠徐、孫策戮楊，乃至最近的官渡之戰，都不過是更大戰亂的序幕。

吳城。

青瓦大宅的長廊上，一團厚重敦實密不透風的狐裘在緩緩掙扎，爬向長廊盡頭的房間。幾經辛苦，這團奇怪的狐裘終於來到目的地，只見其稍稍收縮後便立馬膨脹，披在最外層的狐裘隨之滑落，還伴隨著一聲被冷風吹得發抖的興奮怪叫：「姐！我來探望你啦！」

那團狐裘所窩藏之人，正是周瑜的夫人——小喬。她披霜帶露冒雪前行，抵抗著寒流與惰性，才終於來到大喬的房間，卻沒想到房內空無一人，只有瑟瑟冷風，讓房間看上去比山野還幽寒。

「姐！躲到哪裡去了啊？」小喬死心不息，在一覽而盡的房內尋找著大喬的蹤跡。

「在書房。」一把未脱稚嫩的聲音從房門外響起。小喬循聲望去，發現是孫尚香，只見她垂視腳尖，神情落寞地倚著門邊。

「呃……小尚香，你是寂寞了嗎？」小喬本想馬上去書房，但見尚香模樣可憐，加上外面天寒地凍，就坐到床榻上，裹好被子，並拍了拍自己身旁的位置。

尚香怔了怔，才小跑過去，和小喬一起縮到同一張被子裡，然後説道：「感覺……好像繼大哥之後，大嫂也快要離開了似的……」

「説甚麼傻話呢，你覺得我姐那性格，還能去哪？她不過是又沉迷上了甚麼玩意才會這樣，以前她迷上雜草時，也是天天跑到園子裡研究。」

「雜草？那有甚麼好研究的？」

「怎知道，但她可沉迷了整整三個月。」小喬笑道：「我姐嘛，就是個怪人，哈哈。」

尚香也跟著笑了起來。因為尚香從小就跟在幾位哥哥身後，加上母親吳夫人也是個豪爽之人，自然沾上一身豪氣，笑起來毫不顧忌，嘿嘿哈哈的嘴巴張得老大，身軀亦豪邁地抖動，震晃了腰間掛著的小小木弓，弓影引起了小喬的注意，她問道：「説起來，你明明是女孩子，卻總是弓不離身呢。」

「因為我們孫家兒女都要學騎馬和弓箭！」尚香執起木弓，興奮地答道。

二 歸處

二人越聊越忘我，連天黑了都沒察覺，直到大喬捧著一大堆書簡回來，才打斷她們。

「你們窩在我的床榻上幹甚麼？幫我暖被窩嗎？」

「甚麼暖被窩，我們是來探姐你的啊，結果你竟然日落才回來，知不知我和香香等了多久啊？」

「抱歉，我去了書房。」

「聽香香說，你最近總是泡在書房裡，是在忙甚麼呢？」

「在查一些事，不過孫家書房裡的大都是兵書和楊州各地風土的記載，手上這些是最後的了，如果還沒我想找的東西，那或許要回娘家一趟。」

「回娘家？可是……不過你要找的到底是甚麼書啊？」

大喬不語，只是望了望尚香，然後將手指豎在嘴前，小喬心領神會。

白。

漫天的白。

漫山遍地的白。

白雲的白，襯上白雪的白，讓天地都陷入同一片皎潔。

吳城。

吳城西郊。

一隊武裝精良的人馬在林中穿梭，搜尋著獵物的身影。被人馬團團圍在中央的，正是討逆將軍孫策的繼承人——孫權，字仲謀。他騎著一匹不起眼的棕色馬，穿著一件不起眼的鹿裘，執著一個不起眼的皮弓袋，雖然冬風颼颼，他卻一臉怡然。

「少主，走得這麼深都沒動靜，怕是今年寒風太甚，走獸都躲在窩裡了。」領頭的隨從說道。

「或許是我們人太多，把動物都嚇跑了吧？」仲謀隨口說道，卻沒想到隨從們聞言便馬上收攏起更緊密的圈子，將仲謀圍得密不透風，那名滿身刀疤的隨身侍衛周泰更是立馬緊貼著主子。

仲謀一怔，怡然的神情換回往常的木訥：「放心吧，我不如大哥，沒有獨行的膽子，何況比起獵物，狩獵於郊野的氣氛才是我所追求的，大家不必緊張。」

隨從們聞言才放下心來，緊圍著的圈子稍稍鬆動，仲謀卻馬上從皮弓袋中抽出一把閃爍著光澤的柘木獵弓，向著兩名隨從間的縫隙射出一箭，換來一聲悲鳴。眾人這才回過神來，循箭望去，只見一隻被利箭貫穿的野兔。

「總算不用兩手空空回去了。」仲謀怡然說道。然後隨從們爆發出一陣歡呼，只有周泰不為所動，仍舊與仲謀保持一臂之距，同時警覺四周。

狩獵完畢，仲謀一行便回城。遠遠望去，仲謀發現城門前佇立了一堆人影，原來是送行的文官們，他們的神情從仲謀出發時已開始繃緊，直至當下，看到主子平安無事地回來，才終於舒展過來。

文官群之中，還有一輛馬車。仲謀在周泰的協助下，卸去穿在鹿裘內的輕甲，然後走進車中，只見內裡早坐著一名女子，梳著墜馬髻，身披縫著補丁的綠袍，隨性地半躺著，見到仲謀也不行禮，只是隨意地揮了揮手。仲謀卻習以為常，坐到女子身旁，然後問道：「夫人不紮高髻，又不穿新衣裳，沒被張老師罵嗎？」

「只有我倆時就別叫甚麼鬼夫人了，喊我練師。」步練師一把摟住仲謀，並肆意地嗅著他身上的氣息，同時答道：「當然被罵了，還罵得很慘，說我沒家教。」

「那怎麼還是這個樣子呢？」

「都被罵過了，還要再聽話，那豈不虧大了？」

仲謀聞言失笑，然後輕輕揉了揉練師的頭髮，也半躺了起來。

「此行如何呢？有成果嗎？」練師邊問邊強硬地將仲謀的頭擺到自己膝上枕著。

「只獵到一隻野兔。」

「才不是問狩獵的事呢！」練師輕輕彈了彈仲謀額角。

「要他們從大哥被行刺的陰影走出來，恐怕還需要些時間。」仲謀揉了揉額角，準備還練師一彈指。

「大膽，敢還手？」練師一把捏住仲謀那慢吞吞的彈指，道：「而且也不是說這事啦！我是在問，你那凌亂的思緒理順了沒有？」

「叛臣、流寇、山越、殺父仇人黃祖，還有……」仲謀長舒了一口氣，然後坐直身說道：「再怎麼想，還是只有豎立起四大家族才能解決。」

「是嗎？想通了那就好！」練師坦然笑道，彷彿仲謀剛才所說的，只是一些柴米油鹽的瑣碎煩惱。但仲謀亦因為練師這一笑，稍稍舒展了僵硬的眉頭。

不過，他心裡仍然在盤算著，四大家族之事，陸家之事。

有一瞬間，他似乎瞥見自己的煩惱化成了一隻怪異的灰鴉，瞪了瞪自己，然後用那雙灰暗的翅膀，劃破那片漫天的白。

三

西京亂無象，豺虎方遘患。
復棄中國去，委身適荊蠻。
親戚對我悲，朋友相追攀。
出門無所見，白骨蔽平原。
路有飢婦人，抱子棄草間。
顧聞號泣聲，揮涕獨不還。
未知身死處，何能兩相完？
驅馬棄之去，不忍聽此言。
南登霸陵岸，回首望長安，
悟彼下泉人，喟然傷心肝。

「王粲，《七哀詩》？」符問。

「喔？竟知曉王小小兒？」禰衡訕笑道：「既聞《七哀詩》，又識《鸚鵡賦》，看不出來，你這傢伙也挺能趕文士流行的嘛！」

「嗤，會知道你，是因為可笑，而知道王粲那傢伙，是因為可氣。」

「喔喔？有甚麼可氣的呢？」

「看不慣他把荊州稱作荊蠻。」

「但你又不是荊州人，有甚麼好氣的？」

「以為我不知道你們這些中原文人玩意嗎？蠻是對南方的蔑稱，由東南到西南，只要比自己南的就稱蠻。」

「呵，那可不只南方有蔑稱，其餘三邊也一個不落，北邊的叫狄，西邊的喚作戎，東邊的則叫夷，都是從古籍裡翻出來的罵人話。」

「哼。」符突然反過來問：「倒是你，怎麼突然吟詩了？」

禰衡目視遠方，笑道：「因為來到許都，就想諷刺這曹賊，四方征戰，搞得民不聊生，到處『出門無所見，白骨蔽平原，路有飢婦人，抱子棄草間』。但他自己家呢？就修得周圍良田一片接一片，彷彿天下太平一般。」

「許都？我們已經來到那色胚的大本營了？」符毫不在意白骨蔽平原的蒼涼意境，亢奮地環顧四周，卻只看到一片又一片無垠的田疇，於是疑惑地問道：「許都在哪？這不還只是田野嗎？」

「這一片盡是許都的屯田是也。」

符聞言深思，然後臉色一寒。

「怎麼了？堂堂無常也怕冷麼？」

「我這是心寒，不是身寒。」

「這一片片良田鋪陳眼前，有何好寒的呢？」

「我是寒在，到親眼目睹後，才明白這屯田的真意。」

「屯田還有甚麼真不真意的，不就是讓士兵沒仗打時就去耕田，好讓他們不用餓肚子的小聰明麼？」

「禰衡啊禰衡，該說你聰明還是糊塗呢？你明明都吟出了《七哀詩》，卻看不出這屯田的精妙嗎？」

「呵？有何精妙？不就是此地遠黃河，無水患之憂，以換來五十里田疇，在這片餓殍遍野的山河內，建立了一座不畏饑寒，人人趨之若鶩的夢鄉。」禰衡不屑又不甘地道。

「而這座夢鄉，正是守護許都的最佳城牆。」

禰衡疑惑地望著符，既不服，卻又想聽聽他是如何得出這莫名其妙的見解。

「你還記得那三十萬青州兵嗎？」

「不過是黃巾餘孽，不值得我去記。」

「那你還記得黃巾賊為何造反嗎？」

這一問讓禰衡啞口無言，不答丟臉，答了更丟臉，因為他此刻才想到，自己之前一直忽略的地方。

「因為沒飯吃。」符卻不作刁難，徐徐續道：「當他們有了屬於自己的田地後，遇上外敵，因不想再嘗飢餓之苦，自然會死守到底。這五十里田地，就是用那班青州兵，以及其他所有經歷過飢寒的士卒的生存意志築成的城牆。」

符向田海的彼岸遠眺，望穿了田園，卻仍看不到許都的輪廓。

「當初，我得知曹操將漢帝迎來許縣，把這當成大本營，還以他是失心瘋，這地不似洛陽三面環山易守難攻，除了西邊挨著一座伏牛山外，其餘盡是平原，彷彿是在向我招手，著我率輕騎長驅直進。卻沒想到這屯田之策，不單能應對軍民的肚子，還能對付對許都虎視眈眈的莽夫。」符不禁失笑道：「我總算明白那郭嘉說的話了。」

「郭嘉？哪個郭嘉？」

「曹操旗下的司空軍師祭酒，當年道出十勝十敗論的傢伙。」

「嗯……啊，那個總是忙得沒空看路的傢伙！他怎麼了？」

「他，曾算準我是怎麼死的。」

「怎麼算的？」

「他說：『策輕而無備，雖有百萬之眾，無異於獨行中原也。若刺客伏起，一人之敵耳。以吾觀之，必死於匹夫之手。』」

「喔呵！」

「本來以為他如此神算，但現在看來，那不是算，而是早已布好的計策。」

「就是這片屯田陣吧？」

「若我攻此城，為了衝散對方守軍，必輕騎深入，以為大軍開路。先不論能否衝散那些必將視死如歸的守軍，單看著這些田地間的秘道，就知他們早有防備。」

「秘道？那不是引水道嗎？」

「哪有引水道是直入地底的？那定是藏兵洞，我孤軍深入，伏兵從洞裡殺出，正是那郭嘉所說的獨行中原，刺客伏起，一人之敵，最後死於匹夫之手。」

「兵者詭道也。這玩意與我這真誠赤子真的完全不合呢！」

「哈哈！」符大笑過後，一臉得意地道：「不過這屯田陣和藏兵洞也不是無法破解的。」

禰衡打著呵欠別開臉，因為他知道符又要賣弄兵法了。

符卻硬要續道：「只要用水計，就可破陣！」。

「嗯？不是說離河甚遠嗎？」

「水這東西可不單是河，還有雨。」符見自己成功地引得禰衡回頭，得敕笑著，同時指天說道：「不過那就要看天了，若他朝有人懂得借助雨勢攻城，定能嚇得曹操夾著尾巴遷都！」

「呵呵，還真想看到那色胚被水淹的狼狽模樣呢。」

「說起來，難得來到許都，要不就去碰碰吧。」

「碰誰？」

「你前老闆，曹操。」

禰衡不語。

「怕？」

「怕眼冤。」

「走吧！」符説畢，就硬拉著禰衡走入許都那看似無垠的田疇之中。

走著走著，二人卻突現像撞上一堵牆般，重重地反摔到田裡。

「怎麼回事？這是甚麼東西？」符爬了起身，伸手摸了摸那無形之牆。

「無常小鬼，連結界都沒見過嗎？」

一把稚拙的聲音從二人背後傳來。

少年，一個白衣少年，一個長衫飄飄態若神仙的少年。

「在下甘始，曹司空帳下食客，空長三百歲的一名小小方士。」只見少年雙手一揮，符和禰衡便被吹走，在半空之中，卻仍聽到他那響亮聲線道：「中原王土，聖人之境，不容怪力亂神，蠻夷野鬼，還請退避。」

世有方士，吾王悉所招致，甘陵有甘始，盧江有左慈，陽城有郤儉。始行氣導引，慈曉房中之術，儉善辟穀，悉號三百歲。

——曹植《辯道論》

勁風驕陽

四

風。
寒風正勁。
寒風吹得天地間一切都在瑟縮發抖。
雲在發抖、山在發抖、樹在發抖、馬在發抖，卻唯獨牽著馬的人，穩行如風。

丹楊。
丹楊城西山野。
丹楊，位處吳郡與長江之間，是孫氏勢力範圍的中心，卻也有近半是法外之地，因為此地多山多水，亦多窮山惡水，在那些險峻的山林間，隱藏著諸多賊寇山寨與土豪塢堡。
然而，那牽馬之人，卻於寒冬孤身而至。

「是來募兵的，還是來當兵的？」

牽馬人走到一山林入口，被突然從兩旁冒出的人攔問道。

他卻沒有回答，只是輕輕揮了揮手，一陣銀光閃爍，那兩個攔路者就倒下了。

牽馬人繼續深入，走了快半日才走穿山林，來到山腰，卻又被一道由碎石砌成的厚實城牆擋住。

牆後，是群山。

群山上，是密密麻麻的，由木石混成的建築。

建築群中，有一座攀附於山峰上的主寨，俯視著一眾建築群、俯視著群山，亦俯視著群山下的山林，更俯視著牽馬人。

牽馬人褪去染滿霜白的兜帽，露出銳利的雙目，掃視著這深山中的寨城。

但，明明是在深山中，為何會這麼嘈吵？

不，不是風聲，在蕭蕭風聲中，還夾著人聲犬聲撞擊聲。

莫非是宴會？

不，那不是歡鬧的喧囂聲，而是事情失控的嘈吵聲。

牽馬人放下韁繩，躍入山城複雜又毫無條理的巷中，翻過幾座連接山與山間的吊橋後，嘈吵聲漸近，也開始看到人影，他們幾乎都向著同一方向前進。

或許是事情太嚴重，所以山城的人即使看到牽馬人亦不甚在意，又或者只是他們自己記不清全部的自己人。

就這樣，牽馬人混入了人群，來到主寨，這才發現主寨曾起火，又被撲滅了。

而山城的人都在慌張地左顧右盼，像在裝著尋找著甚麼。

「人呢？哪裡去了？」

「會、會不會是燒死了？」

「去你的，我們不是馬上澆滅了嗎？而且就算是燒死，那也應該有屍骸餘下啊！」

牽馬人受不了他們那亂七八糟的爭吵，便乾脆在人群中找了一個神態較怕事的來搭訕：「是『貨物』不見了嗎？」

「甚麼貨物啊？貨物都在倉裡啊。」

沒想到這班山賊單純得連比喻都聽不懂，牽馬人揉了揉發痛的額頭，然後才道：「我是說那大小姐。」

「啊啊，對啊，大家都在找呢。」

明明只是圍在一起看熱鬧嘛——牽馬人本想如此說道，但再細想，現在這情況更方便他行事，於是他便把話語藏起。

牽馬人退開幾步，遠離了人群，再跳上圍欄，以便更清楚地看到人群圍著的地方。

那是一間廂房，門被打開了，有幾個看上去頗精明的高手在調查著。房內雖然曾起過火，但也不過是燒著了一些被單，也沒有蔓延的跡象，似乎很快就被發現並救熄了。

但重點不在火場，而是本來在火場中的那人。

那人，正是牽馬人的目標。

牽馬人環視了一圈，馬上發現可疑之處，他發現失火廂房正前方的欄杆，唯獨有一處沒有被雪掩蓋，露出了木色。

然後，他站直身子，用雙腳扣住欄杆，向後一仰。

果然，那人正藏身在主寨木地板下方，窩在一根與地板撐成三角之勢的木柱上，她手上還卷著那攀下來用的半張被單。

二人四目交投。

牽馬人有些慌張，生怕會嚇倒那少女，令她尖叫引致眾山賊圍上來。

但那少女卻異常鎮定，彷彿早就預見過這一幕般。接著，她指了指頭上那簡陋如木柴條的髮簪。

牽馬人一怔，然後亦從從懷裡掏出一塊黑色的、小石頭般的吊飾，輕輕放到唇上。

兩人便都放下了戒心，開始用唇語溝通。

「徐大小姐，我是奉命來救你的。」

「我知道。」

「你為甚麼躲在這？他們對你做了些很可怕的事嗎？」

「不，我躲在這，只是想避免一場殺戮。」

「甚麼殺戮？哪來的殺戮？怎樣的殺戮？」

「你帶來的殺戮，一場將雪白的山峰染成血紅色的殺戮。」

牽馬人又再怔住了，他是聽說過這徐家小姐擅卜卦，卻沒想過是擅長得如此嚇人。

「那我們該如何脫身？」

只見徐家小姐屈指細算，答道：「再過一會，就會有人發現你，到時你大鬧一趟，把人都引開，我就攀回廂房，你脫身了再來接我。」

「那豈不是要跑來跑去？」

徐家小姐沒說話，只直勾勾地望著牽馬人。

「唉，知道了。」

「記住，別殺人。」

「這又是為何？」

「血會染污我的靈通。」

「還以為是因為心地好，沒想到是這麼自私的理由。」牽馬人失笑。

「你喜歡心地好的姑娘嗎？」

「呃……也、也不是。」

「喔。」

「喔甚麼？」

「喔。」徐家小姐指了指上方。

「喂，小兄弟，你怎麼掉下去了？快來人幫手，救命啊！」在主寨正面的一名山賊大喊道。

牽馬人立即理解到，是時候大鬧一場了。

「記住，別殺人。」徐家小姐開聲道。

這聲雖微細，卻清脆入耳，猶如寒冬中的一縷陽光，曬入了牽馬人心窩中。

大鬧過後，山賊們沒有被引開得太遠，大部分甫踏離主寨就已經被牽馬人的毒箭射暈，為確保不鬧出人命，他還特地讓每根箭都插入雪中抹兩抹，減淡了毒性後才射出。

攤在地上的山賊大概百人，在自己的地頭上圍攻入侵者，卻連他衣袖都沒碰到。

牽馬人將心內那濃濃的殺意強吞回去，然後徐徐走向廂房打開門。

「多謝相救，小女子姓徐名翌，不知大俠高姓大名？」只見徐翌悠閒地暖著酒，喝了起來，口中多禮，但目光卻連望都沒望向牽馬人。

「你沒算出來嗎？我的名字。」

「沒有去算，畢竟想留下一點點驚喜。」她這才轉過身來，在另一個酒杯上倒滿了酒，再端到牽馬人面前。

牽馬人不客氣地坐下，一口悶了酒，然後再答道：「在下姓孫名翊，你可叫我叔弼。」

這就換徐翌怔住了，這可不單是驚喜，還是個大大的驚嚇，她怎麼也想不明白，她的族人是怎麼和孫家扯上關係的。

一道灰色的軌跡劃過颳著寒風的天，但叔弼和徐翌都沒放在眼內，因為他們只顧著打量對方。

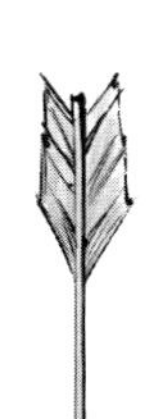

有的人不怕風雪踏馬前行。

有的人卻連窩在家中亦難敵寒傷。

明明是同一對父母生的，為何他們能做到的事，他卻做不到？

十五年了。

這十五年間，孫匡，季佐一直思考著這個問題。

為何四兄弟中，就只有他孱弱至此？

他窩在火爐旁，遠遠地望著窗外那片引人入勝的白，卻不敢靠近。

因為一靠近，就會要了他的命。即使死不去，但這個冬天也必將在病榻上度過。彷彿他就是一隻只能活在屋簷下的家豚一般，天下雖大，能容納他的地方亦比比皆是，他的身子卻受不起這泱泱天下。

幸好，他生在一個有房子的時代，一個房子裡有火爐的時代。

這個時代還有筆，有墨，雖然尚未完全普及，但也已經有紙。

有筆、有墨、有紙，對季佐來說，就有了天下。

文人用紙筆，能創造出自己的天下，季佐的紙筆，卻能連結天下。

看夠了，那被窗框框住的天下，季佐再次執起筆，蘸一口墨，在青青黃黃的紙上潑成一封封連結天下的信。

幸好在秋日時，季佐多造了些紙，現在才能盡情揮筆。

案上已有幾封寫好的信，其中一封的上款寫著「伏波將軍陳大人」、一封寫著「東城長魯大人」、一封寫著「巢湖劉主簿」，還有「沔南黃先生」、「宜城馬先生」、「江都皇先生」、「彭城嚴先生」、「襄陽龐先生」等等，都是江東及其周邊的名士。

季佐就是透過這樣近乎白撞的投信，來嘗試與天下連結。

在最初，白撞的信都是有去無回，但隨著孫家的再度崛起，白撞也撞出了回音，再加上有不少名士，在第一次收到季佐的信時，都仍未揚名，所以也算是識於微時。

他們無所不談，由國家大事、天象星相、鄉土人情、風花雪月、琴棋書畫、酒色財氣到吃喝玩樂。縱使季佐難以遠行，他對天下的概念卻日漸清晰，日漸擴大。像是生魚膾的滋味、書法的竅門，甚至於機弩的構造，他都透過那一張張的書信掌握了。

機弩，是季佐近年最熱衷的興趣，因為這奧妙機關，幾乎抹平了他和其他兄弟在箭藝上的差距。案旁的櫃上，就擺著一副他仍在組裝的新弩。

把筆上的墨吐盡後，又一封書信寫好了。

就像呼應一般，先是一道詭異的灰線掠過，然後一縷陽光點破了層層的白雲，灑進季佐的房內。

風再寒，颳不滅烈日。雲再厚，淹不熄驕陽。

驕陽，能驅散寒冬。

季佐也趁著這難得的好天氣，跑到院子曬曬太陽，卻意外地掀翻那剛寫好的信，只見其上款寫著——「司空軍師祭酒郭大人」。

兄弟 五

藍天。

萬里無雲的藍天。

地上，卻揚起了兩大片塵土。

那是軍隊行走所引起的塵土。

一片大，一片小。

卻奇怪地，是小片的塵土在追趕著大片的塵土。

而大片的塵土，亦在被追趕的過程中，逐漸縮小。

每隔一段時間，小塵土就會撞上大塵土，混成一團帶著金屬嘶咬和人類淒鳴聲的合奏。

大塵土總能掙脫逃亡，代價卻是比之前細小上近一半。

小塵土總是等大塵土稍逃一會，才再度成形追趕。

這場追逐歷時近十日，由吳郡南部邊界的富春縣，一直持續到中北部的烏程縣，幾乎縱越了整個吳郡。

然而，當大塵土開始接近烏程縣城時，卻開始放緩了下來，甚至停下腳步，並倒轉槍頭。

因為烏程城，正是大塵土部隊的大本營。

一群騎兵從大塵土部隊中走了出來，領頭人身披泥黃色的戰甲戰袍，在十天前，那身甲袍還是皎潔的白，卻在這且戰且退的奔波中被泥濘污雪染成這糞土般的模樣。

但這卻不礙那領頭人逞威風，他挺直圓腰，再偷偷地撩撥了一下戰袍，讓它像迎風飛揚一般，然後劍指向前，直指小塵土部隊的中央，揚聲大喝道：「號稱不下我大堂弟的美周郎，看來也不過如此！跑了三個縣也沒能抓住我，這下可放虎歸山了，哈哈！」

雙方士兵聞言，心中都不禁暗道，明明都是姓孫的，為何差距會這般大。

驀然，一支利箭從小塵土部隊的中央飛射而至！

但深諳箭術的人都看得出，這箭雖然凌厲，角度卻過於偏低。果然，那箭就那麼插進了孫姓領頭人所騎的馬蹄之前。

眾人都以為這一箭是威嚇，卻沒想到，箭射出的方向，竟傳來一陣對自己的不滿。

「嘖，差一點點就成了！」白袍白甲白弓白馬的周公瑾咬牙切齒道。

「差多了，都說了要讓箭肚著地，看我再示範一次。」只見副將蔣欽張弓搭箭手一放，行雲流水般射出了箭。

然而，深諳箭術的人都看得出，這箭的毛病和公瑾那箭一樣，角度太低了。

但就在箭快將插入地上時，箭頭卻奇妙地揚起了一點點，然後，箭肚觸地，在地上印下了一道若手臂般長的劃痕，並立馬躍起，直沒入孫領頭人的小腿。

彈地箭，或曰——

「蜻蜓點水！」蔣欽忍不住握拳歡呼：「看到沒！」

「豈有此理，是你這傢伙不會教人，回去就找公苗教我！」公瑾笑道。

「呵，賀師父是那麼容易請得動的麼？」

「你們先別聊，孫暠那傢伙正爬回城了。」二人身後的別部司馬陳武插話道。

「中了箭還能逃，這點倒像孫家人……」蔣欽話音未落，一把利劍已架在他項上，是公瑾的劍。

「不准開這種玩笑。」公瑾冷冷地道，同時亦收起冷冷的劍。

「抱歉，是我失言了。」蔣欽垂首道。

「去！」公瑾卻馬上回復笑容，並拍了拍蔣欽座騎的屁股，道：「將功抵過！」

這非一般的拍馬屁，讓蔣欽毫無準備下突進，眼看快要單騎闖入敵陣，蔣欽拉住了馬韁，讓座騎煞住，同時雙腿站立了起來，好不威風。

「丹楊的兄弟們，隨我上！」蔣欽乘勢高呼，那威武的架勢不禁讓手下的士卒們心情澎湃，馬上跟隨蔣欽殺入敵中。

蔣欽雖騎著馬，但他的手下們卻輕易跟上，雖說他們都輕甲上陣，但那行軍的速度卻仍然超乎想像。孫暠軍才剛架好盾，他們的長矛就已刺到。

然而，這盾還是舉得太慢了，蔣欽和五名騎兵借著馬勢，已衝開了一個缺口，他的士卒就像潮水一般湧入。

方一接陣，孫暠軍已被突破。

孫暠卻已顧不上陣勢，他負著箭傷，在部將的掩護下，一往無前地向著烏程城的城門衝刺，只要回到去，就能據城堅守，就能捲土重來！

他太天真了。

他沒想過，既然周公瑾的兵馬如此驍勇，為何還會屢屢錯過剿滅他們的機會。

但即使他有想過，也想不明白。

因為周公瑾並不是屢屢錯過機會，而是有心布局。

只見孫暠終於來到城下，他喝令開門，卻得不到回應，蔣欽的部隊卻越殺越近。

他再三呼喝，城頭上才出現了一個人，那人很陌生，卻又很熟悉。

陌生，是因為這人並非他的手下。

熟悉，是因為他早聽聞過此人。

孫策軍下第一粗人——

呂蒙。

現在，已經是周瑜軍下第一粗人了。

「喲！孫大人，別來無恙嘛？」呂蒙揮手笑道。

這和孫暠聽來的形象有點不同，但他也沒時間深究，他焦急地回頭，想看看蔣欽距離還有多遠，還有多少時間讓他逃走。

然而，他方一回頭，就只見一把木弓向自己面門揮來——

五 兄弟

眼前一黑。

雪水潑臉的滋味並不好受，尤其在冬天。

但又沒甚麼比一勺雪水更能令昏迷的人清醒過來。

「等、等等！」孫暠在下一勺雪水將至之際剛好就醒了過來：「我醒了，我醒了！」

只見蔣欽、陳武和呂蒙三人半蹲著，品字形圍住孫暠，而公瑾則在後方，坐在胡床上蹺著二郎腿。前方的三人六目相互交錯，但眼神投射出的，都是同一種情緒——困惑。

這種困惑，在孫暠眼中，卻變成了不屑與嘲諷。他無奈地垂首，同時也放下了架子。

「我只是不服。」孫暠嘆道：「我不明白，所謂兄弟，到底是甚麼？」

「明明我和伯符流著同一樣的血，有著一樣的姓，卻為何我們在兄弟之前，要加上一個堂字？」他繼續傾訴道：「明明論資排輩，繼承伯符的應該是我！為何卻交給了仲謀那黃毛小子？我不服！」

公瑾錯開二郎腿，站了起來走向孫暠，道：「就算真要論資排輩，也該是你那大堂兄孫賁繼位，如何輪到你了？」

「這、這……如果當年沒有我爹孫靜獻策，伯符根本就攻不下會稽，掃不平江東！」孫暠吼道。

「要論功勞，孫賁和孫輔二人可是一直伴在伯符身邊啊？」公瑾道：「雖然孫輔也犯傻了。」
「他也作……那個甚麼了？」孫暠驚道。
「他沒你衝動，只不過是想私通曹操而已，已被少主懲治了。」
「他為甚麼要私通曹操？」孫暠怒問。
「那你為甚麼要進犯會稽？」
「我只是想取回我爹打下來的地盤而已。」
「你信不過少主？」
「信不過。」
「但你也不打算私通曹操或其他人？」
「這是我們孫家的事，我才想不通孫輔那傢伙為甚麼要私通外人。」
「哼，這樣看來，你倒是比孫輔聰明一點。」公瑾放鬆緊繃的表情，從容地一把抓起跪在地上的孫暠，道：「我會叫少主放你一馬的。」
「放、放我一馬？」孫暠疑惑：「我可是出兵了啊？」
「我說放你一馬就放你一馬。」公瑾笑道。
這非但沒讓孫暠寬下心來，反倒讓他皺起了眉。
「我不信任仲謀，但我卻恨你。」孫暠瞪著公瑾道。
「因為我不姓孫？」
「因為你不姓孫，卻和伯符稱兄道弟，還總是一副比我們更似是他兄弟的樣子！」
「所謂兄弟，到底是甚麼？」公瑾反問：「只有血脈相連，才是兄弟嗎？」

「那當然！」

「哼，你根本就不懂兄弟是甚麼。」公瑾説罷便轉身離開，同時吩咐呂蒙道：「子明，帶他去見少主，順便稟報，北邊我已平定了，著少主專心應付西面。」

「你去哪？為何不親自押我？這不是你的任務嗎？」

「少主還不敢隨便命令我呢。」公瑾回頭笑道：「我只是去曲阿途中，剛好遇上了你，才順便操練一下這班丹楊兵。」

「丹楊兵？難怪如此驍勇……」孫暠疑惑：「但為何這支伯符帳下最強的部隊會到了你手裡？」

「因為少主還不懂武力的價值。所以我也理解，你們為何會不信任他。」公瑾揚起下巴，道：「但你們卻看不到，還有我在。」

那囂張的神態恍若伯符再世，讓孫暠無言垂首。呂蒙見狀便將他扛到肩上，領著三分一丹楊兵，準備回吳城。

公瑾再吩咐蔣欽和三分一部隊暫時鎮守烏程，然後便帶著陳武和餘下的丹楊兵，繼續前往曲阿。

「説起來，我們去曲阿是要做甚麼？」陳武問道。

「去接一位夫人。」

「甚麼夫人？」

「魯夫人。」

另邊廂，押送孫曇的部隊迎來了不速之客。但奇怪的是，似乎只有孫曇留意到牠的存在。雖然鴉並不罕見，所以一般人忽視牠倒很正常；然而，這隻卻不是平凡的鴉。是一隻灰色的鴉。

六

廬江。

符和禰衡被甘始拒之許都門外後，只好識相地繼續向江東前進。

雖然被打得落花流水，二人卻異常興奮，沿途不斷重複回憶著甘始的那一掌，嘗試分析出個條理來。

然而，不知底細的推斷，都只是天馬行空。

二人走著走著，已經遠去許都所在的潁川郡，跨越了汝南郡，來到廬江郡的邊界。

「廬江廬江廬江。」符嘆道：「這是我第幾次來這裡了？」

「故地重遊？」禰衡問。

「在十四歲那年，我和公瑾相遇了，那時老頭子正準備去討伐董卓，我們當時居住的壽春時局不穩，公瑾就邀請了我們一家到他老家廬江郡治舒城暫住，從此我們就成為了總角之交。」

符續道：「到了十八歲那年，我繼承了老頭子，成為袁叔的部下，他雖然很賞識我，卻又很怕我不受控制，多次答應提拔我作太守都出爾反爾，後來在派我征討不聽他話的陸康時，我就下定了決心要自立，並暗中召集老頭子的舊部，作好取江東的準備，而那個陸康，正正就是廬江太守，我圍的，亦正正是廬江郡治，我曾經的家，舒城。」

「再來就是二十四歲那年，我用調虎離山之計，將當年那個搶了我廬江太守之位的劉勳引開，然後迅速攻下了新的廬江郡治皖城，在那裡，遇上了我的妻子，大喬。」

符說畢，不自覺地笑了，無比寂寞地笑了。

「說得……真好聽，總角兄弟、自立門戶、結髮夫妻，好像你在這裡留下的就只有美談一般。」禰衡還在想該如何調侃符之際，已有另一把聲音為其代勞。

說話那人彷彿憑空現身一般，站到了二人前方。

白衣。又是白衣，又是一個白衣少年，不單衣白，連頭髮都白得發亮，但緊皺的眉目卻沒有甘始那一份超脫。

而且，他這一身白衣很眼熟。

是伯符的爺爺孫鍾，作為于吉時所穿的那一款白衣。

「你也是于吉？」符問道。

「還在修行中。」于吉道。

「修行了多久？」

「快三百年了。」

「又是一個老不死啊。」符問：「你也要攔我們的路嗎？」

「你還記得……自己在盧江幹過甚麼好事沒有？」

「我幹過的好事太多，也不只在盧江幹過，但我大概猜到。何況我之前還遇過一個叫陸偶的伥。」

「那就好，省得我解釋。就是那群陸家亡魂們又再作祟，為免失控，司命有令，所有無常不得靠近，尤其是……作為禍首的你。」

「當下江東一帶的無常不足，也是沒法子的事。」

「那就放著那數百亡魂作祟嗎？」

「都哪裡去了？」

「你沒收到……司命號令？」

「還未夠資格。」

「半調子。」于吉諷道：「反正……就是大部分的無常都辦大案去了。」

「那就對人間不管不顧了嗎？」

「人間戰禍連年，再死多點人也不過是零頭而已。還是說……你要自告奮勇去處理你搞出來的這爛攤子嗎？」

符眺望東南，那是舒城的方向，然後再望了望東方，那是丹徒的方向。他想了想，然後答道：「暫時算了吧。」

「呵，一般人這樣說話，都是在推諉，但你卻不像。東方……有要事？」

「有心結。」

「那就……請你沿著盧江與壽春的邊界向東行吧。」
「你不送我們一程？」
「你想我如何送？」
「例如一掌把我們推飛幾十里那樣？」
「別說笑了，所謂于吉，也不過半仙，哪有此等能耐。」
「這樣看來，那甘始是真的很厲害呢。」
「甘始？甚麼人？」
「只怕是仙人吧。」
「仙人？你們……在哪遇上的？」
「許都。」
于吉凝重地望向西北，那是許都的方向。
「在意？」
「在意。」
「畢竟世界很大。」
于吉沒答話。
「好了，你慢慢想，我們上路了。」
于吉沒有望向他們，卻朝他們揮了揮手。
「啊，對了，還沒問你姓名呢。」
「身任于吉後，已忘掉俗名，若是為分清我與其他于吉的話，就稱呼我為……于吉長

六 盧江陰霾

吧。」他答道。

符和禰衡甫踏出盧江的範圍，于吉長就消失得無影無蹤。

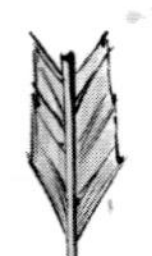

盧江。舒城。

伯符曾經的居所，公瑾的老家。在經歷了那慘不忍睹的兩年後，已成了一座死城。卻不同於洛陽那種外在受摧毀的死，舒城的死，是因為被一層肉眼看不見的陰霾覆蓋，令人心逐漸頹圮，即使是在那場災劫中仍幾乎無損的城南區，也失去了朝氣，失去了生機。

城和人互相依存，風水布局好的城，能讓住民變得活躍積極，積極活躍的住民亦能活絡城的經脈。反之亦然，風水不妙的城，會讓住民沉寂，沉寂的住民，亦會讓城失去生氣。

這層無以名狀的陰霾，不單單籠罩著整個舒城及其周邊，甚至連遠在長江對岸的吳城，亦受到影響。

「小桔子啊小桔子。」陸議躺在園子裡，望著那明明萬里無雲，卻又陰陰森森的藍天，不禁嘆道。

「小姪兒啊小姪兒。」比陸議年幼幾歲，因腿疾而不便出行的陸家現任當家陸績問道：「有甚麼事想請教你叔叔我呢？」

「你有沒有覺察，最近那些世叔伯，至甚是下人們，好似都有點躁暴？」舌頭不好使的陸議問道。

「的確是時候了。倒是你沒有受影響，讓我有點意外。」

「你又就早夢到了嗎？」

「沒錯，而且還是很早很早前就夢到過，這是我們這一代陸家將受的第二次大劫。」

「這……會比那第一次還可怕嗎？」

陸績凝重地望著陸議，然後搖了搖頭，道：「我沒夢到結果。」

陸議沉默了。

是夜，星空璀璨。

陸議的心情卻糟得一塌糊塗。

「議兒，你板著臉是甚麼意思？」飯席上，陸議被一位疏堂叔伯喝問道：「你是對我們的計劃有意見嗎？」

陸議用力地揉了揉太陽穴，然後勉強擠出聲道：「我許或不應對伯叔們的事嘴多，可是……可是這事也太太太大了，太太太重嚴了吧？」

「報家仇，當然是大事！還是頭等的大事！」一位坐在末席的同輩族弟叫道。

陸議望向首席的陸績，想尋求聲援，但陸績不知是喝多了還是瞓了，竟在閉目入神。

「你這傢伙到底是怎麼想的？」另一位叔伯問。

「這、這……」

席上十數位陸家人都受不了陸議的溫吞，不禁齊聲逼問。

「搭上李術那條賊船，可是殺頭大罪，不，甚至可能會惹來滅頂之禍啊！」陸議終於受不住，道：「我們陸家好不容易才從廬江那次劫難中復甦，你們就這麼急不及待要闖入另一劫中嗎？」

陸議爆發之後，換來一陣寂靜。

卻不是因為無言而生的寂靜，而是風雨前夕，陸家眾人的怒氣正在醞釀。

「陸議，甚麼叫殺頭大罪？罪從何來？」坐在陸績旁的老人拍案罵道：「我們陸家豈是孫家賊子的走狗？我們聯手李術，是為漢室討伐孫家那班逆賊，同時還是為家族復仇！」

「就是就是！」「你這小子平說話已經不清楚，沒想到腦筋也糊塗。」「不，等等，還是你這傢伙把自己當成孫家走狗了？」「陸議！你是要背叛陸家嗎？」「叛徒！逆子！」「殺了他！」陸家眾人把憤怒都發洩到陸議身上。

「靜。」老人揚手示意，然後瞪著陸議問道：「說，你是不是想投靠孫賊們？」

「不，姪兒絕無此意。」陸議叩首道。

「光說有甚麼用？起誓吧，發誓你永不效忠孫家。」

陸議一怔，然後再叩了兩叩，才稍稍抬起頭來，然後伸手指天，誓言道：「我陸議，對天起誓，永不臣服孫家，如有違背，易名為遜，一生以之為恥！」

陸績聞言，方徐徐張眼，並露出一抹滿意的笑容。

七 皖城喬家

皖城。

盧江郡當下的郡治，位於原郡治舒城的西南方。依江而建，湖水環繞，是個佔據水利，漁獲甚豐的縣城，是個能養活人之地。

但亦僅止於此。

和舒城相比，皖城不單城牆單薄，而城池本身就是遷就周圍的湖川丘陵而建。作為一座城，除了養活住民之外，還需要擁有抵禦外敵及出兵進攻的功用，而這些，正是皖城所欠缺的。她之所以能取代飽受創傷的舒城，只因一個優勢——鄰近長江。

長江對岸，是孫家的大本營。

所以盧江郡的郡治所屬，看的不是盧江本身，而是她受何人支配。當她仍是漢郡時，她的郡治就需要肩負鎮守長江，以防長江南岸的蠻夷亂賊走入中原的防務，而當她被孫家納入懷裡後，就變成一個覬覦中原的刀尖，負責源源不絕地運送江東精兵的港口。

奇怪的是，這個當下屬於孫家勢力的郡治，卻籠罩著肅殺之氣，從各方而來的兵馬，都集結於此。

而且為了不讓風聲外傳，皖城內三軍戒嚴。

皖城。

喬家。

重門深鎖的喬家。

但再深鎖的私宅，都禁不住官兵的衝擊。

「開門！例行檢查！」

「來了來了，不用喊打喊殺的。」一名四十歲左右，眉清目秀英俊非凡的男人打開深鎖的大門，除了每三天就會見一次的軍官外，還有另一位熟人在，難怪那軍官會叫喊得特別有勁。那中年美男詫異道：「哎喲，怎麼連太守大人都來了？」

「喬兄，久未拜訪，別來無恙吧？」廬江太守沒望過他口中的喬兄一眼，就已逕自走入喬宅，並神情嚴肅地左顧右盼：「這麼大的宅邸，只有你一個人住，是否太空虛了？」

「唉，有甚麼辦法，兩個女兒都被搶走了，只剩下我一個孤伶伶守著這個家。」喬父拭了拭乾燥的眼角。

「呵呵，可是本官聽你鄰居說，這兩天聽到有女人的聲音從你家大宅傳出啊？」太守發出男人在談女人時才會發出的獨特怪笑，並豎起了尾指道：「喬兄是不是……？」

「喬某仍愛著亡妻。」喬父凜然地道：「我絕不可能帶外面的女人回家，那一定是鄰居聽錯。」

「那如果，不是外面的女人呢？」太守終於看了喬父一眼，那一眼滿是試探與警戒。

「對喬某來說，不是外面的女人就只有三個，她們隨便哪一個回家，我都求之不得，哪怕不是以人的姿態回來！」喬父本來只是微微顫抖，卻越說越激動，眼淚亦從乾燥的眼角噴湧而出。

太守卻反倒因而平靜了下來，輕拍喬父的肩頭，然後假惺惺地安慰道：「抱歉，本官沒想到喬兄如此情深，方才失言，還請見諒。」太守負手腰後，續道：「畢竟大事將成，本官不想有任何差池。」

「喬某明白，畢竟整個皖城與孫家關係最密切的，就是喬家。但誰又能想到，天下間最痛恨孫家的人，正是喬某這孫家岳丈！」喬父咬牙：「大人你放心吧，我是絕不可能向孫家通風報信的！更何況當下皖城守衛如此森嚴，莫說要走出去，連想進城都難如登天。」

「雖然本官並不恨孫家，不過此刻我們都是同一陣線。」太守放下心來，向大門走去。

喬父作揖道：「願李術大人武運方昌！」

李術沒有回頭，只是舉了舉手示意，然後便在軍隊圍繞下，向著另一戶可疑人家前進。

「嗚哇，我都不知道老爸你的演技如此精湛！」待李術走遠後，小喬才從大廳深處冒出頭來。

「不完全是演的，我就是這麼恨孫策那小子。」喬父笑道。

「那……公瑾呢？」

喬父壞笑了一下，然後裝模作樣地嘆道：「唉，女生外向！」
「甚、甚麼啊！我只是想看看你罵公瑾那混蛋而已！」小喬漲紅臉道。
喬父再嘲諷地笑了聲，然後落寞地道：「可不要讓你這份扭捏也變成遺憾啊，如果他真的待你好，那就要好好珍惜。看著你姐現在那模樣，我真的心如刀割。」
「知道了……」小喬點點頭，然後問：「所以你才那麼恨姐夫嗎？」
喬父哼了哼，再左顧右盼，問道：「你姐呢？」
「老樣子。」小喬攤了攤手：「躲在書房裡。」
「唉，千辛萬苦的沿著『山路』回家，卻不是為了陪為父，傷心啊！」喬父又再拭了拭乾涸的眼角，然後才奇道：「不過她到底是想找甚麼書啊？」
「啊，這我倒沒問，畢竟姐看的都是我看不進腦的書。」

喬氏父女二人走到地牢，地牢深處有兩道門，一道通向被他們稱為「山路」的秘道，連接著城郊山林的一座古墓。而另一道門背後，就是書房。
門推開。
映入眼簾的是一個碩大的空間，大得難以稱之為房間。這是一個天然洞穴，作了最簡單的修飾，地面只稍稍打磨過，洞壁則被層層的滑動石架遮掩住，洞頂更是沒花過功夫，只吊下了幾枚燈。而洞穴中央，則利用書架布置成八卦的形狀，八卦中央，是一個地台，上面鋪了草蓆，不知是供人閱讀，還是冥想修行用。

八卦架上的藏書，大都是竹簡和獸皮，也摻了一些獸骨和龜甲，至於洞壁前的石架，放的都是碑、鼎及泥板等重物。

「我的乖女兒，又在看甚麼書呢？」喬父彷彿感應到大喬的位置，他甫進門便直接走向「巽」那一排書架，大喬果然在其中，翻閱著用獸骨刻的古籍。

大喬嚇了一跳，馬上便將獸骨藏到身後，然後慌張地答道：「爹！你、你怎麼來了？」

然而，喬父早已看到獸骨上刻的是甚麼。

「你一直找的，就是記載著死者復生之術的古籍？」喬父冷冷地問。

大喬緊抿雙唇，垂首不答。

「說、說不定姐只是碰巧翻到而已，對不對？」小喬忙打圓場。

「你們的關係有這麼好嗎？」喬父問。

大喬依然默不作聲，身子卻忍不住微微顫抖。

喬父解開上衣，露出滿布全身的鎖鏈黥印，問道：「你是否忘記了我們一族所背負的罪孽？你是想為了孫策那臭小子，又再添一條嗎？」

「可是，我很想他。」大喬答道，然後咬緊牙關。卻沒迎來預想中的巴掌。

只見喬父既驚且喜，兩行老淚不禁縱橫：「為父一直以為，你的情感被當成是對我族的懲罰之一，由上天收走了，沒想到原來只是遲來而已。」

「不過，這不代表你可以涉足我族的禁忌。」喬父換上如深淵般死寂的表情，瞪著大喬，彷彿要吸盡她的生機一般，並以那不像人間該有的沉重聲線，徐徐地道：「此等記載著有歪生死之術的書，是我等靈巫絕不能觸碰的禁忌！我等徘徊生死之間，是為天地梳理輪迴，萬萬不可為私情而濫用！」

「可是，我真的很想他！」大喬卻道。

喬父一怔，然後向躲在一旁的小喬招手，示意她過來，問道：「你們還記得，我們喬家的故事嗎？」

大喬仍然倔強，小喬便搶在空氣凝固前答道：「記得。我們喬家因為背叛了曾經侍奉的主公，為了避禍便南逃至此，同時改作喬姓。」

「那麼你們又知不知道，我們本來的姓氏？」

小喬搖頭。

「木喬，橋。」

小喬不解。

「很可笑，對不對？把橋去掉木字旁就想掩人耳目。」

小喬不敢作聲。

「那是因為，我們改姓，不是為了藏匿，而是昭告。」喬父雙手合十向天一躬：「昭告天下，我們這一支橋氏，投靠了先神。」

小喬露出疑惑的神色。

「先神者，先天諸神也。其中一脈，就是《九歌》中吟誦的諸位楚神，我們現在所侍奉的大司命大神，正是其中之一。」喬父說：「至於我們曾經的姓氏『橋』，是源自一座神聖無比的山——橋山。那是中原人先祖軒轅黃帝的陵墓，而我們的祖先，就是黃帝其中一脈負責守陵的子孫。我們曾經是黃帝的守陵人。」

「那、那……那即是說，我們喬家背叛的，就是黃帝？」小喬驚愕。

「還有奉黃帝為尊的祖神一派。先神與祖神，也就是自然與人。喬家夾在這場自然與人的鬥爭之中，我們已經背叛過其中一方，除了虔誠地侍奉餘下一方外，已再無他途。」

喬父搭著大喬肩膀，嘆道：「大喬，為了喬家、為了為父、為了小喬、為了你自己，亦哪怕是為了你的兒子，回頭是岸，別再涉足先神們的禁忌了！」

大喬仍然倔強，但她那通紅的雙目凝望過喬父那滲著瘋狂與恐懼的雙眸後，只覺萬千思緒，無法理順。

北方。

扛著董卓的華雄本已有點行動不便，沿途還不斷受到黃肩軍的騷擾，令他感覺距離目的地——黃河之北——似乎越來越遠。

華雄雖吃力，卻沒有埋怨。

他默默地殺退一波又一波的敵軍。

但人畢竟會累。

靈魂也會累。

面對一波一波又一波，似無止境的侵擾。

華雄做到的，也僅僅是不埋怨。

但即使不埋怨，也只是令場面不至難堪，卻改變不了局面。

若黃肩軍繼續追擊，華雄必將走投無路。

他在猶豫。

猶豫該不該運用那股力量。

那股深藏於董卓肚皮裡的力量。

猶豫，只因為尚未到絕處。

絕處終究還是來到了，華雄連猶豫的餘裕都沒有了，他稍稍剖開董卓的肚皮，攝取了部分龍脈的力量，克服了眼前的絕境。

讓人絕望的是，克服一波絕境後，卻緊接著另一波絕境。

「真是頑強的傢伙。」絕境如此說道。

這波絕境的規模卻比華雄所想像的要小得多，之前每一波追擊都起碼有三、四十人，而這一波，卻只有一人。

而且是個文弱書生。

他留著黑中摻白的順直長髮，蓄著小鬍子，膚色驟看蒼白，卻隱隱透著紅潤，身披青袍，肩上繫著一片黃巾，手執塵拂，踏著飄飄腳步來到華雄面前。

「鄙人荀諶，想向無常大人借肩上亡魂一用。」荀諶作揖道。

華雄連回話的力氣都沒有了，卻仍執意橫起手中長斧，擋在荀諶身前。

重臨丹徒

八

青空。
白雲。
勁風。
驕陽。

——是個暖陽夾著寒風的初春。
認真遠看的話，會發現片片白雲中夾雜著不起眼的陰霾。
青空亦沒有想像中的藍。
不過，這——

真是個好天氣。

逐鹿中原的好天氣。

江東已蕩平，許都就在眼前，天下，唾手可得。

我，孫伯符，正策馬江東。

我，孫伯符，要跨出你沒能跨出的那一步，劍指中原！

更何況，狩獵時我只想一個人，享受只有我自己一個人的時光——

若要兼顧他們的腳步，我還如何縱馬中原？

將那班尚未熟習馬術的新兵遠遠拋在身後。

——我騎著逐日，疾馳在平原上。

可惜。

可惜如此好天氣，卻仍有不知好歹之輩來打擾。

我聽見利箭破空的聲音。

不等它闖近，我已挺槍一挑，將之折斷。

又是哪一家破落江東望族要來復仇嗎？

還是曹操派來的刺客？

算了，是誰派來的都沒關係。

就讓他們成為小霸王的美談吧！

——前方，五十步外的草叢。

那片草叢只及腰，而且並不廣闊，亦不太茂密，能埋伏的人不多，頂多就兩三人。

何況這裡臨近長江，西方是秣陵，東方是曲阿，除非是死士孤軍深入，否則不太可能是曹操直接派來的人馬。

那麼就剩下望族這個可能，不，也有機會是山越。

但那更不用放在眼內。

兩三人，除非每個都是太史慈，否則根本不成威脅。

問題只是——

小霸王？

不，我才不滿足於這種矮人一截的稱號。

江東霸王？

也不。

我的大願只有天下，亦只有天下才容得下我的名號——

天下霸主！

——沒錯，要起名號，就得往高往大起。

甚麼江東小霸王，等我出兵中原後就鎮不住場了。

要背上天下霸主這名號，揮軍中原的第一仗必須打得轟轟烈烈！

不過，一來就直搗曹操大本營會否太冒險？

若有錯失，會否敗光我橫掃江東所建立的威名？

不，不去挑戰最強的對手，又怎麼知道自己的斤兩？
不過，江東內亂的問題又如何處理？
現在交給仲謀會否太早？
還是應該等季佐再年長一些？
可是，歲不我與。
可是——

唉。
我又聽到了，利箭破空的聲音。
這次是從身後射來。
但這箭的聲音有點不妥。
我轉身察看，卻發現……這箭的射線太低了吧？
是哪來的新手？
嗤，真掃興。

——算了，能早些了事也好，還我一個清靜的休日。
而且縱馬浪蕩完後，還要去獵鹿——

只是，我沒想到。
沒想到這看似不入流的箭矢，撞到地上後，竟立馬躍起，直刺向我胸口。

我馬上迴腰閃避，這箭還是射中了肩頭。

然而，可怕的是，這箭之後還有另一支箭。身軀扭曲的我無法再閃避，只能任由它，直沒入我的面門。

——箭矢刺入的瞬間，我本能地咬緊牙關。

但仍能感覺到，箭頭刺穿我的臉龐，擊碎我的牙齒和顎骨。

然後，就是一片模糊的濕和熱，連痛楚也沒有，就只感覺到濕和熱。

血在噴湧。

我順著箭的軌跡望去。

那人，就是兇手——

墮地。

——我要死了嗎？

不在戰場，而是在狩獵場。

真諷刺。

不過，這或許——

然後，眼前一黑——

「如何，這次找到蛛絲馬跡了沒？」坐在樹枝上的禰衡，一邊將每隻手指變化成奇特的形狀一邊問道。

「我都忘了，自己的心聲，原來那麼喧囂吵鬧，而且和我所經營的印象那麼截然不同。」孫策半昏半醒地笑道。

「怎麼，你還真的是個詩人嗎？」

「這次的確看得更多更清了，不單周圍，還有自己。」符回答禰衡最初的問題。

二人身處平原與樹林的交界。

這裡是丹徒。

孫策遇刺之地。

「沒想到回到案發現場，還真的對喚起回憶有幫助。」符環顧著舊地道。

「見到兇手的模樣了沒有？」

符目視遠方，沉思一會後才答道：「只看到……輪廓。」

「要再來一次嗎？」禰衡興致勃勃地從樹上跳下來。

「不，不必了。」符苦笑道：「已經沒法再從回憶中挖出更多蛛絲馬跡了。」

「那，就這樣了？結束了？」

「不，回吳吧。」符笑道：「直接從疑人身上找線索。」

禰衡聳了聳肩，便先一步向吳城所在的東方前進。

符呆了呆，才跟上腳步。

沒走兩步，他又停了下來。

八 重臨丹徒

踏踏。

一陣熟悉的聲音。

踏踏踏。

馬蹄聲，五百步外的馬蹄聲。

符循著踏踏馬蹄聲望去。

白馬。

一匹疾馳的白馬。

馬背上騎著一個白衣將軍。

熟悉的蹄聲、熟悉的白馬、熟悉的白袍、熟悉的白甲，還有那熟悉的煥發英姿。

來人正是伯符的連襟，亦是兄弟——周公瑾。

只見公瑾的雙目直直地望著符。

直直地望透符。

然後策著馬，準備直直地穿過符。

白馬卻突然嚇了嚇，然後稍稍繞了路，正好繞過了符。

白馬察覺到符，公瑾卻察覺不了。

這匹白馬名為奔月，和伯符座騎逐日是一對同父異母的姊妹。

符苦苦地緊抿著嘴，然後轉身望去。

只見公瑾輕盈下馬，單膝跪下，握拳錘向地面，低語了幾句。

「莫非這傢伙就是殺死你的兇手？」禰衡唯恐天下不亂地笑道，他本以為符會如往常一樣極力反駁，卻沒想到他只是聳了聳肩，然後露出一抹苦笑。

公瑾站了起來，卻沒有上馬，而是環顧四周。他先是望向伯符被行刺時，許貢門客所藏身的草叢，凝視了好一會，才移開目光。

然後他望向一株樹。

那株樹，正是射出彈地箭的刺客所藏身的地方。

公瑾的目光一掃而過，卻又馬上怔住，再將目光放回那樹上。

他一臉狐疑地走到樹前，然後開始調查。

抹去樹枝上的積雪，曾經掩藏的痕跡卻已不復存在。

「太遲啦，都快一年了，你若當時馬上就趕來，說不定還能發現甚麼蛛絲馬跡。」符失笑道。

「你憑何認為他是在調查呢？說不定他是來看看證據是否都消失了而已。」禰衡道。

符依舊地聳了聳肩，不作回答。

公瑾繼續視察四周，然後在伯符倒地處與那株樹的中間點呆住了，他瞪大雙眼，錯愕地望著地上，似乎發現了甚麼讓人驚訝的東西。

符及禰衡好奇地湊上去看看，卻發現只是地上有一條如手臂般長，已經不太明顯的劃痕。

公瑾伸手去摸了摸，然後還想在附近搜尋其他痕跡，遠方卻突然傳來陳武的聲音，道：「公瑾！聽説那魯先生已到曲阿了！」

公瑾將望了望那道痕，望了望那株樹，再望了望四周。

「知道了，先回去吧，可不能讓子敬久等呢。」公瑾翻身上馬，答道。

「我們要不要跟著一起去，看看這傢伙有沒有藏著甚麼秘密？」禰衡雀躍地問。

「你對公瑾就這麼看不順眼嗎？」符笑了笑，然後答道：「好吧，走吧，走吧！」

曲阿求賢

九

為了跟上公瑾的快馬，符將食指屈起，化成了鈎形，勾住公瑾的長靴，以搭上順風馬，吊在後方乘風飄揚。據聞途中恰巧遇上有陰陽眼之輩，目睹這幕後以為是作祟的鬼怪，於是命名為吊靴鬼。

至於禰衡，則如往常般化作鸚鵡，飛上青空瀏覽四周景色。

看厭了風景，禰衡便降了下來，勾搭在吊靴鬼的肩膀上，問道：「這姓周的現在要去見的那魯先生是甚麼來頭？」

「也沒多大來頭，就是個區區的東城長，長得有點高，生得有點壯，既會騎射又會舞劍，而且會點兵法的一個敗家子而已。」

「嗤，原來是愛將啊？」

「差一點才是呢。」符苦笑道：「公瑾早將他介紹了給我，可惜恰巧他奶奶過身，他就趕回去奔喪，然後過沒多久就輪到我他奶奶的過身了。」

「難怪姓周的要特地去堵住他，是怕他跑了吧。」

「呵呵，畢竟你沒見過子敬，不了解他的為人。」

禰衡不爽地皺了皺鸚鵡所沒有的眉毛，符則爽快地笑了。

白馬快步流星，不一會已來到曲阿。

奔月前蹄剛停，公瑾已翻身下馬，大步走入縣府偏廳。只見廳內已坐著兩人，一個膚色深而泛紅，似是終日在外奔波而曬成的，看上去不比公瑾大多少。而另一人則似乎剛滿二十，身穿剛開始褪白的泛黃布服，看上去平凡得無甚特徵，只有那好奇的雙瞳，直勾勾地望著公瑾。

「子敬，這位小兄弟是？」公瑾問。

「他，是我在旅途上遇到的，因為他在賣這有趣的東西。」魯肅舉起杯晃了晃，然後喝了一口再繼續答道：「但我的盤纏卻花光了，便只好以帶他到處遊歷增廣見聞以作代價了。」

「這是甚麼？」公瑾嗅到一股清香，好奇問道。

「這，叫茶，用葉子泡成的。」魯肅從懷裡取出一隻銀杯，然後倒上茶，遞給公瑾：「不過尚有許多要改進的地方，現在這口味應該還無法大受歡迎。」

公瑾接過後，毫不猶豫地喝了下去，卻馬上又吐了出來：「呸！燙死了！」

「這些葉子，需要滾燙的熱水方能泡出其香。」另外那位小兄弟答道。

「公瑾啊公瑾，就算想表現出你信任我，也是要好好觀察的，我可不願下任主子又是死於輕率。」魯肅笑道。

「本性難移，所以才想找一個能替我眼觀八方的能人。」公瑾慢慢呷了一口熱茶，嘆道：「呵，喝下去又是另一種香氣，雖然澀得要緊，還有濃濃的草青味，但若能辟去的話，這東西就不得了了。」

「所以，你為了找到這能人，就不惜綁架他娘親嗎？」魯肅放下手上的杯，問道。

「說甚麼綁架，我只是早一步將伯母接到吳郡而已。何況我還收到消息，說那能人要北逃呢？」公瑾再呷了口茶，仍捨不得放下銀杯：「而且北逃就算了，投靠的竟然還是巢湖的那甚麼誰？」

「那，巢湖的甚麼誰雖然名不經傳，但和把江東大家族及山越等全都得罪一遍的孫家相比，還是安穩一點。」

「為何早些時候，你又願意投靠我們？」

「那時，孫伯符還在，他能壓住江東那些山賊土豪，可惜他已不在了。」魯肅黯然道。一直躲在門後偷聽的符不禁搔了搔頭。

「你信不過少主？」

「我還不認識他，只聽說過他們的父親孫堅在起名時已為他們四兄弟定好了職責，伯符名策，策馬天下；二弟名權，權御帳下；三弟名翊，翊衛左右；四弟名匡，匡正眾兄。」魯肅撫了撫下巴的鬍渣，道：「但現在策馬天下之人已逝，那他的弟弟們還能權御甚麼呢？」

「他們兄弟最恨的，就是其父用名字所下的詛咒。」公瑾敲了敲銀杯，示意再來一杯。

「那，有請公瑾兄來為在下品評一下他們幾兄弟，如何？」魯肅邊問邊為公瑾斟茶。

「品評嗎？」公瑾晃了晃銀杯，徐徐答道：「四弟季佐雖然體弱，但有結交四海之能，有如朝陽，燦爛、奪目、光芒四射，而且溫暖人心，可是卻只懂依循千篇一律的黃道，不知變通。」

「三弟叔弼武藝超群，現在已不下於我與伯符，早晚會成為江東最勇武的猛將，他就是一陣烈風，比伯符還剛烈的風，然而，風就是風，自由自在，飄忽不定，來去無蹤，注定飇不長久。」

「至於少主仲謀，則是一片浮雲，看似偏隅一方，但隨時遠去，你看過有人能縛著浮雲嗎？他雖然有治天下之能，但他的心不在天下，在天下之外。」

「呵，那麼伯符呢？」

「伯符是青空。」

「啊？你對他的評價高得太誇張了吧？」

公瑾與符同時笑了出來。

符望向公瑾，本以為他會如往常般心領神會地望過來，然後再你一言我一語地嘲笑自己一番。

然而，公瑾沒有望過來。

因為伯符早就已經死了。

符早就明白自己躲在門後其實毫無意義，他只不過是想要一點點參與其中的感覺，而不是像空氣般佇立在公瑾身旁。

這一笑終究還是喚醒了他。

他不再躲著，堂堂地走入偏廳，坐在擱在一邊的席上，旁聽這番他已無法參與的對話。

「談已經不在的人又有何用？」公瑾黯然。

魯肅默默地頷首，頓了頓，然後才再繼續：「你對孫家三兄弟的評價可不算高，那，為何還要拉我下水？」

「因為我周公瑾尚在。」公瑾將喝乾了的銀杯重重敲到案上。

「所以，你是要我成為你的幕僚，來成就你的霸業？」

「如果孫家三兄弟都是無能之輩的話，我義不容辭。」公瑾失笑道：「可惜，因為我與伯符的關係好過了頭，讓我無法公正地評估他們。」

「那，你剛才的品評，都只是主觀的片面之詞了？」

「試問天下又有誰看人看事，能全然地客觀？」公瑾托著腮歪著頭，雙眼森寒地道：「若果子敬夠客觀的話，就會知道投靠巢湖的那誰是多麼離譜，而若果我夠客觀的話，亦會知道你口說要投靠巢湖的那甚麼誰，背後必然有著不可告人的秘密。」

「呼，不愧是公瑾。」魯肅擦了擦不存在的冷汗，問：「那，你查到甚麼蛛絲馬跡嗎？」

「前廬江太守劉勳帳下主簿——劉曄。」

「那，想必這背後的不可告人秘密，公瑾亦已了然於心。」

「我不認識這劉曄，只是揣度，既是劉姓之輩，大概與劉表有關吧？」公瑾輕撫杯緣：「假意投靠巢湖的那誰，然後待他朝劉表出兵廬江時，就能裡應外合。」

「呵呵，不愧是公瑾，已算中其中八九成。」魯肅摳著下巴道。

「不過算錯的，卻是最關鍵的那一成。」小兄弟品著茶，道。

「這小兄弟也是你和劉曄那一伙的？」公瑾奇道。

「不，他真的只是我在半路上認識，因為在天下局勢方面很聊得來才同行的。」魯肅雙眼放光地望著那小兄弟，好奇問道：「那，小兄弟，你說那最關鍵的一成，是？」

「劉曄背後的，不是劉表，是曹操。」

「我亦如此想過，而且這還是諸多可能性中最可怕的一個。」公瑾一邊打量著眼前的小兄弟，一邊思量，並問道：「但劉曄畢竟是王族後裔，在衣帶詔後，曹操還能容得下姓劉的嗎？」

「人丁單薄的布衣貧戶亦難免有不肖子孫，何況所謂王族後裔枝幹繁多？」小兄弟道。

「有道理，既有不肖子孫，那就除掉再立孝子賢孫就是了。」公瑾點了點頭，然後壞笑道：「那，子敬，你是劉曄的同謀，還是被他賣了？」

「呵，我可沒想到會賣到那麼遠。」

「畢竟你當年獻給伯符的馬上策，可是以南方為基底。」公瑾道。

「結果，還是要我來向你主子推銷馬上策啊？」魯肅裝模作樣地嘆道。

「難道你還有另一套計策待價而沽？」

「有，有倒是有，只可惜天下尚未有人夠資本去實踐。」
「子敬此策，是否名為——」
「二分天下！」在場的三個活人一個死人同聲説道，然後三個活人相視而笑。
「那，若他朝大業成功，你會怎麼對待你的少主？」魯肅問。
「要看他如何待我了，我可不會坐以待斃，但那都是後話。」
「好，要説的都説清了。那，中郎將大人，在下是隨你，還是隨少主？」魯肅拜道。
「隨少主，好好教導他一番，讓他忘了張紘那老而不的一套。」公瑾扶起魯肅，然後轉向小兄弟道：「至於你，就當我軍師，職位的話，功曹如何？」
「恐怕我無法説不吧？」小兄弟問。
「可以拒絕，只是後果自負。」公瑾滿意地笑道：「這趟收獲可真豐富。啊，對了，我還未知道小兄弟你的姓名。」
小兄弟作揖答道：「小姓龐。」

「為何不在曲阿呆久一點？」變成鸚鵡的禰衡聒噪著。牠正拍著雙翅，跟在稍稍回復身形，但也不過是由小貓變成豹般大小的翊身後。

「快過年，想家了。」勉強能騎在翊身上的符隨意地答道。

「嗯哼。」禰衡發出了嘲諷。

「怎麼啦？」符笑問：「是不是覺得那三人皆為人傑，所以想多待在旁觀摩觀摩？」

「那三人嘛，也算是有點東西。」禰衡說。

「對吧？若有那三人襄助，恐怕要奪天下也……」符欲言又止。

「呵呵，天下？非也非也，我不過說是有點東西，卻不足以論天下。」禰衡道：「那周公瑾嘛，猿腕蛇指，還能酒醉顧曲，正適合宴席間撫琴作樂；至於魯子敬，肩腿健實，又有識貨之才，恰可行商四海販酒糴米；最後那龐小兄弟嘛，雖有余之直言氣度，外表卻過於凡庸，然借誡弔喪，亦未嘗不可！」

符聞言只是大笑，並未反擊，皆因他早就聽聞過禰衡是如何品評曹操帳下文臣武將。

談笑間，家，已在眼前。

吳。

符的家鄉，孫氏的根據地。

然而，當今孫家家主孫仲謀，被司空曹操授予的職銜，卻是會稽太守。吳曾屬會稽郡，但在順帝永建年間，亦即約七十年前，有人上書以：「縣遠，赴會至難，求得分置。」為由，令會稽郡分成兩半，南部仍名為會稽郡，而北部則新設為吳郡，並以吳縣為郡治。

吳縣毗鄰太湖，是中原第三大湖，加上肥沃土壤，實屬魚米之鄉。故此曹操才特地任命孫仲謀為鄰郡太守，讓其無法名正言順地成為吳郡之長。雖然，因為山高司空遠，孫家仍然將根據地定為吳城，除非曹操親自揮兵南下，否則亦無可奈何，但，這份名不正言不順，就是曹操對孫仲謀所下的束縛，即使他能無視，但他身邊的群臣、人民，以至外鄉的土豪山賊，都能以名不正言不順為旗幟，侵擾孫家。

吳城。

仲謀領著張昭為首的一眾文臣魚貫進入郡府，在長廊上遇到了行色匆匆的盛憲。

「盛憲大人。」仲謀作揖道：「又要借大人地方一用了。」

「客氣客氣。」盛憲躬身還禮：「請便請便。」

「對了。」仲謀本想繼續前行，卻又突然停步，回頭向盛憲問道：「據聞盛大人馬上要升職了？若是真的話，那真是恭喜恭喜了。」

盛憲躬著腰僵在原地，不敢作聲。

「對了，仲父，都尉和騎都尉有何分別？」仲謀問張昭。

「哎，少主，都說了別叫老夫為仲父，這不好意頭！」

「那張公你也別叫我少主。」

「哎，知道了。仲謀，所謂都尉有兩種，一種是比將軍低一級的武官，另一種則是太守的輔官，不過光武帝時已廢除了大半，只餘下偏僻邊郡尚有此職。」張昭閉目滔滔：「至於騎都尉，是由武帝始設，負責掌監羽林騎，亦即是禁軍，此職屬光祿勳，乃九卿之一。」

「啊？既負責掌監禁軍，那是否要上京呢？」

「這倒不必，畢竟騎都尉一職，早已成為勳章，以獎賞有功臣下，或是賦予爪牙壓制他人所用，鮮少需要履行本來的職責。」

「那請問，是都尉大，還是騎都尉大？」

「當然是騎都尉大。」

「那再請問，是太守大，還是騎都尉大？」

「當然還是騎都尉大。」

「那再再請問，若是當郡太守，再身兼騎都尉，是否比鄰郡太守大得多？」

「當然。」

仲謀望向盛憲，微微彎起嘴角，笑道：「那若吳郡太守盛憲大人升任騎都尉的話，豈不是要壓死小弟了？」

盛憲嘆了口氣，然後挺直腰板，凜然道：「孫大人見笑，還望一同匡扶漢室！」

「匡扶漢室，匡扶漢室，由你們這些山裡來的人說出來，還真讓人感動。」仲謀再作揖道：「還望，一同匡、扶、漢、室。」

話畢，盛憲便頂著仲謀那無以名狀的視線，躬著身退出本屬於他的郡府。

「嗚嘩，真是溫暖的家鄉呢！」樑上鸚鵡如此說道：「你弟弟看上去木訥呆板，沒想到如此狡詐。」

「木訥的人有兩種，一種是呆瓜，另一種是深藏不露的狠傢伙，仲謀就是後者。」同坐樑上的符一邊得意地笑道，一邊輕撫變回小貓身形的翊：「加上當家的早死，也讓他被迫成長了許多，就如當年的我一樣。」

「有這樣的弟弟，你不怕嗎？」

「這樣的弟弟，我有三個。」符笑得更得意了。

禰衡不置可否地歪了歪鸚鵡頭，然後跟著仲謀一行人，與符一同飛入大廳。

廳內，已有二人，一人站著，一人跪著。

「子明，你來了。」仲謀道：「還有曷哥，你也來了。」

「少主早晨！」呂蒙精神抖擻地作揖道：「公瑾大哥交代我向你報告，說北邊他已平定，少主專心應付西面就可以了。」

「知道了。」

「那出發嘍？」呂蒙雀躍地道：「去把盧江打個稀巴爛！」

「你連夜趕回來，不累的嗎？」

「有仗打，精神得很！」

「別心急，打盧江這事需要從長計議，你先去休息，我處理好其他內政，開軍事會議時再叫你。」沒等呂蒙表示不滿，仲謀已先一步補充道：「太精神睡不著的話就繼續讀書。」

「呿，知道了！」然後呂蒙便退下了。

「好了，暠哥，先起身吧。」仲謀扶起跪著的孫暠：「我們先談兩句，然後你也快點去休息吧。」

「連你也瞧不起我嗎？」孫暠怨道：「我可是犯了軍法，我可是叛徒！」

「唉。」仲謀湊近孫暠，輕聲道：「那你是想落得與輔哥一樣下場嗎？」

「他……現在怎麼了？」

「他還好，現在應該在前往交州途中，至於教唆他通曹的親信，都就地正法了。」

「交、交州？那不是窮南之境、化外之地嗎？」

「所以才要輔哥去教化當地啊，當然，這不是一年半載就能完成的事業。」仲謀用力拍了拍孫暠的背，示意他離開：「放心吧，畢竟我剛上任，豈能將兵刃指向兄弟？何況內外賊盛，正需要我們兄弟同心。暠哥你先去睡一睡吧！」

孫暠無語，垂首離開，他抬頭一望，只見一道灰軌劃過，不知為何，他突然控制不住那份怨恨，暗自心中立誓：「這份恥辱，我還不了，就讓我的子孫來還！」

道。

「怎麼回事？」符大吃一驚：「曷他明明沒開口說話，為何我能聽到他的聲音？」禰衡推斷

「說不定是那份怨怒太強烈，就化成了魂魄能聽見的言語了，真有趣！」

廳內，仲謀示意眾人就座，道：「好，來談正事了。」

「自伯符逝世以來，五方亂起，北有孫暠孫輔等文臣武將叛變私通，東有各大家族縱容家僕私兵禍亂治安，南有長沙劉磐不斷侵擾，西有廬江李術無視命令，中央還有一大堆山越燒殺擄掠。」張昭盤膝坐下後，就發言道：「現在孫輔孫暠都被擒，北亂可說是暫時安定了。」

仲謀向座上的會稽功曹虞翻作揖道：「能如此輕易平定暠兄的兵馬，都是多得仲翔向暠兄力陳利害。」

虞翻卻拍了拍大腿，說道：「臣不懂利害，只知何謂道義，而且這是為臣的本分，少主不必言謝。只是我方文武中，有叛心的恐怕亦不止孫暠孫輔二人。」

專掌機密情報的衛軍長是儀從袖裡取出一封紙條遞給仲謀，並道：「在下剛整理好嫌疑名單，少主請過目。」

仲謀接過，看了兩遍便將之燒成灰燼：「這上面除了盛憲外，都情有可原。」

末席的伯符四弟孫季佐道：「盛憲說不定亦是情有可原？」

張昭嘆了口氣，答道：「季佐你還是太年輕，所以才不明白，盛憲的威脅從來不是來自他本人，而是在於曹操已將他當成釘子，還是一根狠狠釘在江東核心的釘子。」

「現在還不是處置他的時候，先放一邊。」仲謀道：「內部暫時穩住，正如瑜兄所言，

北亂平定了。接下來談談東亂，該如何應付那幫土豪們？說了那麼久的江東四大家族，結果暫時就只有顧家是定了下來，陸家仍是連見都見不上。」

「既然陸家不答允，何不選擇其他望族？下屬聽聞吳郡朱氏、張氏，會稽虞氏、賀氏、全氏、魏氏、謝氏，都不亞於陸家。」長史諸葛瑾問。

「我虞家可攀不上這些大家族。」虞翻搶道。

「子瑜初來乍到，所以還未摸透江東世族間的瓜葛。」會稽郡丞顧雍正色道：「即使我效忠少主，但我顧家內部還是多有不服之輩，畢竟我等江東世家代代聯姻，早已形成一個剪不斷理還亂的集團。而先主孫策當年圍廬江一役，前往解圍的可不單單是陸家子弟，我們這些姻親亦出了不少力，也因此從那時起就已經與孫家結了怨。要解決這宿怨，並豎立四大家族來制衡其餘世族，還得從根源，也就是陸家著手。」

「原來如此，多謝顧大人解答。」諸葛瑾一邊筆錄一邊答謝道：「這樣看來四大家族之策，顧、陸兩家是不可或缺，那餘下兩家又作何打算？」

「這就是東亂的另一層煩惱，位置只有四個，恐怕立再有威望的世家，亦必會讓其他豪強不服。」張昭試探地問道：「不知子瑜可有良策？」

「嗯……」諸葛瑾咬了咬筆桿，細思後才答道：「若故意懸空，並讓其餘世家看到顧、陸歸順的利益，引誘他們投誠爭逐這四大家族的最後一、兩席，這樣如何？」

廳上眾人一怔，須臾，仲謀才拍案叫：「絕！」

「這樣的話，平息東亂的方法就變得簡單多了，只要能說服陸家就成。」張昭嘆道。

主記步騭看了看手上的文書後，道：「然後就是南亂了，荊州牧劉表從子劉磐自往長沙之後，就不斷派兵馬喬裝賊寇侵擾我方邊陲，損失日益嚴重，已無法忽視。」

是儀翻閱了案上資料後，道：「據在下情報，劉磐軍的主力，是一名名為黃忠的中郎將，不單武藝超凡，箭術更是、更是……」

張昭問：「怎麼了？」

是儀答道：「不，這裡字眼有點不妥，怕是下屬們未見過世面。」

仲謀道：「不要緊，直說。」

是儀道：「他們的報告說，這黃忠的箭術……舉世無雙，遠勝當年轅門射戟的呂布。」

眾人聞言後都靜了下來，來回望著左右，卻不知說些甚麼好。

張昭道：「聽上去的確有點誇張，但還是應該慎重應對，否則局面說不定會因而崩潰。」

仲謀邊細想邊問：「我軍眾將，有誰能擔得起舉世無雙這稱號？」

「恐怕只有公瑾、賀齊，還有……伯符。」張昭嘆道：「可惜公瑾有要務在身，賀齊亦不是我們能輕易使喚。」

「兄長嗎……」仲謀心中早有答案，他徐徐說道：「你們看，太史慈能否勝任南方防務，對抗那黃忠？」

「對啊，太史慈當年可是能與伯符酣戰一番，堪稱一時佳話。」張昭道：「有此不下伯符的猛將，相信南亂亦可告平息。」

仲謀道：「好，那就任命太史慈為建昌都尉，著他盡早前往南方討寇。」

樑上的符聽到太史慈被派守南方後，不禁有些落寞，同時又有些妒忌，他很想和那誇口箭術舉世無雙的傢伙交手。

步驚道：「接下來就是西亂，李術及他所縱容的那一干人等。」

張昭道：「李術不成問題，伯符和公瑾早就布下了收拾他的伏筆，子綱也去了跟進。問題在於該讓誰去領這個功？就讓阿蒙那傻小子去？」

仲謀道：「殺雞焉用牛刀。」

諸葛謹道：「讓少主宗親領這功，如何？畢竟北亂中，孫輔孫暠叛變，不免讓人覺得孫家內部亂成一團，那就讓可靠的族人去打場勝仗，讓外人明白孫家仍然團結，只是出了兩個不肖堂兄弟而已。」

顧雍道：「贊同。我推薦少主堂兄孫河及表兄徐琨。孫河既為三朝元老，同時亦是孫暠所駐的烏程縣縣長，正好用以昭示孫家族人以及烏程上下的忠誠。至於徐琨，既能展示孫家宗親上下一心，又能沖淡軍中過濃的孫氏，尤其是少主叔伯輩及其子弟的氣息。」

仲謀答道：「好，馬上安排。」

張昭道：「西亂也有眉目了，那就只餘下中亂的山越了。」

眾人再度沉默了下來。

「這才是最讓人頭痛的一亂……」仲謀揉了揉太陽穴，道：「子瑜，你加入不久已屢獻良策，那對於山越，你又有沒有甚麼奇謀妙計？」

諸葛瑾道：「對於山越，奇謀恐怕成效不大，只能正攻。」

仲謀問：「那該如何正攻？」

諸葛瑾道：「精銳盡出，各地同時發動攻勢。」

張昭笑道：「公瑾亦是如此說道，那看來只能好好準備這次正攻了。」

仲謀嘆道：「只是不知道能有多少時間去準備。」

張昭道：「這就要看子綱能否說服曹操了。」

步騭道：「說起曹操，今早又再收到司空府的信函。」

張昭道：「又是來催聯姻那事嗎？不過我們現在也沒拒絕的本錢，乾脆就讓叔弼去接了這頭親事吧？」

季佐卻道：「但三哥最近好像在蜜運當中，硬要他去娶個素未謀面的女人，而且還是大敵曹家之女，是否不太好？」

仲謀道：「這等之後我再和他詳談，他不行就你頂上。現在先說回正攻之事，你們認為要多少時間去準備？」

諸葛瑾道：「恐怕最少要三年。」

張昭道：「老夫看五年會比較穩當。」

仲謀道：「那就以五年為期。」

「如何處置五亂已有定案，但這不過是平亂，那接下來呢？雖然張昭這群文臣內政有一手，但還欠一個能在勢力拓展上運籌帷幄的人。」仲謀心想，不禁擔憂了起來，只是他沒想到，他最防備的公瑾，已在為他帶來此人。

樑上，禰衡興致勃勃的變回人貌，並道：「你們江東可真多亂事啊！」

符後仰身子，嘆道：「若我尚在，大多數亂事都能用武力強行壓下。」

禰衡道：「但我卻認為，你二弟和臣子那些多姿多彩的應對更精彩。」

符道：「實在沒想到，我留下的這攤子，竟爛得如此可怕，幸好仲謀尚能應付，不過……」

禰衡代符續道：「不過，卻好像有意疏遠和你關係好的近臣？」

符閉起雙目，重重呼了口氣，然後沉默了下來。

沉默的不單樑上，還有廳上。

眾人都以為今日的會議就此完結，畢竟他們從清早開始，談到現在將近黃昏，已是晚飯的時間了。

卻沒想到，仲謀竟道：「步騭，著人安排些酒食。我們接下來邊用膳邊談出兵廬江的詳情。」

眾人不禁倒抽一口涼氣，卻因為不想讓他人發現，都抽得謹慎而低調。

仲謀補充道：「對了，季佐你先回去陪母親吃飯吧，入夜寒了你身體可受不了。」

季佐道：「可是，我也想繼續參加會議啊……」

仲謀卻擺了擺手示意他退下：「接下來談的事，我會叫步騭為你準備筆錄的了，快走快走。」

季佐仍想堅持，可是卻敵不過仲謀那既陌生又熟悉的眼神。

陌生，是因為季佐從未在這二哥身上見過這眼神。

熟悉，是因為無論父親還是長兄，在生時都經常掛著這副眼神。

黃昏。

季佐乘著肩輿，望著西下的落日，來不及感懷身世，就已被先於黑夜一步湧來的寒氣侵襲，不住咳嗽。車夫們聽到，都馬上加緊腳步。

符見狀，馬上縮開搭在季佐肩上的手，然後，季佐的咳嗽就逐漸收住了。

這陣寒氣，不是由夜帶來，而是由符這無常帶來。

他生怕讓四弟本已不好的身子變得更差，便馬上飄開，只遠遠地看望，不敢再靠近。

孫家大宅。

季佐走進家人日常用膳的偏廳，卻發現空無一人，於是便拉著正為他準備飯菜的下人，問道：「其他人呢？」

下人答道：「吳夫人帶著步少夫人和三小姐去了遺孀聚會，三少爺外遊未歸。」

季佐淡然道：「那把飯菜挪去我房裡吧。」

符目送季佐離去後，走到食案前坐了起來，輕輕撫掃了這張曾經是他專用的木案，然後環伺廳堂。

「這空無一人的廳裡，曾經坐滿家人，點滿燭光，擺滿佳餚，斟滿美酒，歡聲笑語。」符不住地拍著案道。

「有可能嗎？」禰衡訕笑道：「孫大將軍可是大忙人啊？要征戰四方，哪有時間天天回家吃飯？」

符沉默了。

他閉起眼，往事一段段浮現。

苦笑。

一抹摻雜了悲涼與悔恨的黑花在符的嘴上綻放。

「你這傢伙說話真難聽。」符苦笑道：「但最可恨的是，你說的都是真話。」

「是俗人受不了真話，可不是真話難聽。」禰衡笑了笑，然後再次化成鸚鵡：「你家一點意思都沒有，還得看著你那苦瓜乾般的表情，受不了，受不了，我出去逛逛，明天再找你。」

符笑別了禰衡，懷裡卻忽然間亂跳了起來，原來連翊都受不了符那不住外滲的淒涼，所以跑到園子裡去了。

「走吧，走吧，重遊故鄉物事全非這種愁苦事就該獨個兒沉醉的。」說畢，符便站起身來，離開偏廳，走向他曾經的臥房。

只見房內一片凌亂，除了臥榻外，幾乎都堆滿了書籍，四書五經齊全，史記漢書，還有各種兵法、術數、方技的經典，幾乎都是手抄本，有仲謀的字跡，亦夾雜了不少他人的書法。

「這小子是把臥房當書房了嗎？」符欣慰地笑著環視了一圈，在牆角發現了一把弓，一把閃爍著光澤的柘木獵弓。柘木獵弓是符的慣用弓，他在仲謀十二歲時，也送了一把給他作為生辰賀禮，符走近一望，見上面仔細地抹了一層油，似是最近用完後所作的保養。亦因為仲謀的細心善待，這把弓才會在經歷了七載歲月仍然光潔如新。

看到仲謀如此珍愛自己所送的禮物，符的心卻沉了下來。

因為他深明這把弓的優異。

優異得能射出意外彈地仍能貫穿面頰的箭。

符輕撫著弓，問道：「會是你嗎？」

他知道弓不會說話。

所以他轉身離開這曾經屬於他的臥室。

符踏出長廊，來到後園。

「唉……」符挨在當年洞房後所倚著的亭子欄上，抬頭望天，卻已不見銀月，只殘片片烏雲。符望著混沌夜色，回味在世時的種種，喃道：「或許，我作為孫策的人生雖短，卻亦頗為幸福？」

「好了，小尚香，夜了，你先去睡吧。」驀然，一把熟悉的聲音傳入符的耳蝸，他往聲音的方向望去，只見一襲黛色映入眼簾。
「娘！」符忍不住叫道。
然而，吳夫人卻沒有回應，甚至沒有望向符，她的雙眼仍在目送回房的孫尚香。
然後，她便領著步練師來到符身後的亭中。
「如何？剛才的宴會。」吳夫人問道。
「不得了！我實在沒想到，軍中竟有這麼多寡婦！」步練師手舞足蹈地驚嘆，然後發現自己失態，又馬上收攏了手腳，續說：「戰爭……真的難以想像。」
「你怕了？」
「怕，但這是仲謀無法躲避的責任，我會在他身後好好支撐的。」步練師握拳道。
「呵呵，這才是孫家新抱該有的樣子。」吳夫人笑道。
這一笑卻讓符的眉頭一緊。
「說起來，叔弼那傢伙是不是找到女朋友了呀？」步練師雙眼放光。
「真八卦，你從哪聽來的？」吳夫人口裡正經，但雙眼卻在放出同樣的光：「據說是徐家的姑娘，是他在狩獵時偶遇的。」
「嗚哇！真浪漫呢！」步練師扭著身子興奮地道：「那三少他準備去提親了沒有？」
「還不知道，他都不肯對我多說半句。」
「呿，叔弼他武功雖好，人卻太害羞了，尤其是在感情上。」步練師緊張地道：「讓我這二嫂也去說說他，讓他早點成親！」
說罷，步練師便打算離開去找叔弼麻煩，卻被吳夫人拉住了，她笑道：「你現在去也沒用，他今早又跑出去了。」

「啊啊，是去幽會嗎？」

符實在受不了這兩個女人在談情事時的嘮叨，於是便在聽夠三弟的消息後就離開了。

雖然受不了氣氛，但該八的卦仍是要八的，於是他就飄到叔弼房裡，打探一下有沒有未來弟婦的線索。

叔弼的房間與仲謀完全不同，不但整齊，還一塵不染，這是潛心武道之人方有的自律，是連符都尚未達到的境界。

而在這個整潔又無趣的房間中，唯有一個空置的弓架吸引到符的目光。這個弓架光滑圓潤，卻不是因為悉心的打磨，而是不斷掛上又取下的碰觸造成的磨蝕，從凹陷痕跡看來，這弓架放置過的弓多不勝數。

因為叔弼力大，卻又愛用輕弓，而且使得頻密，所以再堅實的弓亦受不了他兩三個月的摧殘。

符輕撫著弓架，又問道：「或者，是你嗎？」

他知道弓架不會説話。

加上他亦失卻了搜尋弟弟戀情八卦的興致，於是便離開了。

符望了望亭子裡熱烈討論的二人，便決定繞路。

「接下來，該去哪呢？」符口上自問，腳步已在自答，他正走向季佐的房間。

符探頭一望，只見季佐正在埋首案上，不知是在讀書還是又在寫信。符確認季佐披了數件厚厚的皮裘，才敢踏入其臥房內。

季佐的房間介乎於仲謀和叔弼之間，書籍同樣凌亂地堆放，但其餘的東西都整理得整整齊齊，甚至有好幾個帶鎖的櫃子，將衣物、信箋和藥物整理得有條不紊。

符望向季佐埋首的案上，又看到讓自己的心沉了下來的東西。

季佐正在細心地調整著一副機弩。

這款機弩上承自秦弩，設有機關，令體弱如小孩都能輕易上箭及發射，這正是最適合季佐的防身武器。

同時，亦是最適合暗殺的武器。

對著季佐，符不敢輕易碰觸，只喃喃地道：「連你，也有著可能嗎？」

季佐驀然回首望向符。

二人四目交投，彷彿穿透生死而再會。

然而，季佐的視線沒有穿透生死，而是穿透了符，望向了他的身後。

是一剎那的靈感，還是親人獨有的連繫？

符不想深究，於是寂寞地退場。

還有誰，是想再見一面的嗎？

答案了然於心，但符卻不想對自己坦白。何況他也不知道她現在搬到哪間房。

於是，他打算再去看看小妹尚香，就再度告別這個令人不捨，卻又待不下去的家。

尚香已熟睡，符坐在床邊好好看望了會後，便打算起行。

然後，他又望到一把弓，被隨手放在案上。

但這次，卻讓符寬下了心，他不禁笑道：「怎麼孫家的人都這麼喜歡弓？」

十一 孫家諸事

烏雲疏落，孤光在邊緣滲透而出，照落在無人的亭上，昭示著夜色已深。

符作最後的徘徊，卻不知是因為心神不寧還是神推鬼擧，他來到一間位於大宅角落的陌生房間。

房間陌生，卻隱隱滲透著熟悉不過的氣息。

這讓符不住顫抖，更甚於戰場廝殺。

然而，縱使顫抖，縱使害怕，他還是制止不了自己的腳步，闖入了這間房。

遺憾的是，房裡沒有人。

沒有人，卻仍有著滿溢的回憶。

這房間的布局與伯符在生時的房間幾乎完全一樣，只有某些地方因為空間不足而被迫壓縮了。

寫滿不明記號的羊皮地圖仍掛在屏風上，地圖上依舊插著銀針，卻似乎少了很多。其中一支插在洛陽的位置，讓符有點在意。

然後是滿案的文書，卻同樣是以看不懂的文字書寫成。

再然後，掛在臥榻旁的，是一件殷紅色長袍。

符終於接受了一切，這件長袍，是整個房間，整個大宅，整個江東，甚至整個世界裡，除了紹兒以外，他唯一留下的東西。

長袍的襟上沾了水印。

符想不明白，想不明白那是從何而來的痕跡。

但留下痕跡的人，卻意外地歸來了。

月出皎兮 十二

因為被父親勸戒，大喬也就放棄了尋覓死者復生之術，起行回孫家。然而，小喬卻被留下了，似乎是與那名為翊的虎魄有關，探討那東西到底算不算是妖，不過這就與大喬無關。

大喬不想再待在娘家，於是獨自起行。

靈巫除了通靈外，還有種本領，能讓他們隱藏於人群中，即使是在鬧市裡，只要大喬集中精神，凡人就難以發現她的身影。

就憑著這本領，大喬獨個兒由廬江皖城回吳城，不受賊寇攔路，再加上她的靈巫身分，亦讓遊魂野鬼不敢靠近。

就憑著這本領，縱使她們兩姐妹美若天仙，卻一直待到近來才被發現，那次還是因為小喬一時大意。

但這一時大意，卻令她們一生都為之改變。

本來，她們會在不為人知的情況下，在喬家專心當靈巫和妖巫，隱居至終老。這亦是喬父的願望。

就因為那一時大意，她們的名聲傳到了伯符和公瑾耳中。

為了保住父親，兩姐妹獻身嫁予了孫、周二人。

這在最初還沒甚麼，尤其是對大喬來說，畢竟她的夫君伯符總在忙，而且還有意無意的與她保持距離，她也就有了許多時間，可以繼續擔當一個稱職的靈巫，傾聽大司命的指引，聯繫無常去維繫著輪迴之道。

但意外卻接二連三的來臨，先是懷孕，讓大喬的靈巫工作一度暫停了將近一個月。再來是夫君伯符之死，令她僅僅一年時間，就由閨女，嫁為人妻，再而為母，然後成了寡婦。

大喬以為這是天賜良機，能讓她重回安穩的隱居生活，繼續專注當靈巫。但孫家卻不允許他們前當家的妻子回到廬江這隨時面臨戰事的勢力邊境，稍有意外，她就會成為人質。直至伯符的繼任人，其二弟孫仲謀穩住了當家之位後，才得以放寬。

那段時間，大喬被困在孫家，而且還被迫與因繼承權而成為孫家一大問題的兒子孫紹分離，難得才能見上幾面。

但，大喬不介意。

不能親手撫養兒子，她不介意；夫君被刺殺而死，她不介意；被軟禁在孫家，她不介意；甚至是被強娶成婚，她亦不介意。

因為大喬早就將自己的人生都奉獻到侍奉大司命及輪迴之道上。

直至她因為一個人，理解到何為情。

那個人，卻不是人，是亡魂，是她旗下的無常。

在那次任務中，大喬方得知——

原來，那名無常就是伯符。

明明二人還是夫妻時，連話都不多半句，卻在陰陽相隔後，互相不知道對方身分下，成為了朋友。

又原來，伯符如此呵護自己。但自己卻甚麼都沒察覺，還把一切都看成是理所當然。

又又原來，伯符總對自己保持距離，是因為愧疚。

還有更多更多的原來。

但都比不上——原來，他愛她。

大喬只感覺到內心在翻江倒海，更甚於夏日的狂風。

那一刻，她不自覺地走到那件殷紅色長袍前，緊緊地抱著，卻只感到輕飄飄，冷冰冰，他的味道早已消散，彷彿這已不再是記憶中，伯符常在她睡著時所加的衣，而只是一件陌生又普通，還被淚水沾濕的長袍。

但，這已是整個房間，整個大宅，整個江東，甚至整個世界裡，除了紹兒以外，伯符唯一留下的東西。

終於，在那夜，大喬明白了何為情。

為了情，她不惜尋找禁忌之法，但奈何在父親情理兼備的勸止下，她卻步了。

但她仍然難過，仍然思念著那個，她來不及去愛的人。

肝腸寸斷，真的到了親身經歷時方明白，那種寸斷，是何等的不乾不脆，像在撕扯，卻永遠扯不開、撕不斷，肝腸似斷難斷，最是難熬。

烏雲漸散，月色溶夜。

大喬就懷著這樣的思緒，獨步吳城，遊蕩了好一會，因為夜深得將盡，才往孫家走去。只是她萬萬沒想到，讓她在那殷紅長袍上留下痕跡的人，卻意外地歸來了。

她甫進房門，就看見他的背影。

二人四目交投。

她的眼光沒有穿透他的身體，而是準確地落到他的臉上。

她看得見他。

但他卻習慣成自然地，別過頭去，不敢直視自己的妻子。再加上之前一次又一次都被最親密的人穿透自己，他已不再抱期望，不再認為世上會有活人能看見自己。

但，她看得見。

她看得一清二楚，他的容貌、神態以及一舉一動，都看在眼裡。

但，她卻無法作出反應。

因為靈巫的規條，為防靈巫與無常私通擾亂陰陽二界，所以靈巫不能與無常直接接觸，即使二人面對面，靈巫亦無法作出半點反應。

這是刻烙在血液裡的制約。

她無法接觸自己眼前的丈夫，她用盡全身力氣，也無法向他走近半步，甚至無法對

十二 月出皎兮

他說半句話，無法展示半點手勢以至表情，只能呆望。

只能垂下頭默默流淚。

他見她落淚，急了起來，卻更不敢靠近，瑟縮到角落裡。

她不忍他瑟縮，於是亦別過頭去，裝作無事地坐上臥榻，望向窗外。

他亦順著望去。

只見窗外烏雲盡散，輪輝正濃。

「月出皎兮，佼人僚兮——」二人不自覺地同時吟誦《詩經．陳風》的《月出》，然而她一察覺到與他心有靈犀後，就再吟誦不下去，為了掩飾淚水，將臉埋在雙膝裡，並拼命地忍住抽泣的顫抖。

他則驚喜於二人同步，樂得放聲續誦道：

「——舒窈糾兮，勞心悄兮。
月出皓兮，佼人懰兮。舒憂受兮，勞心慅兮。
月出照兮，佼人燎兮。舒夭紹兮，勞心慘兮。」

待他誦畢，她已躺入被窩，被窩隨著呼吸緩緩起伏。

這樣，他才敢稍稍靠近。但當邁開了第一步，就阻止不了第二步。他躡手躡腳地來到榻邊，跪了下來，一睹妻子久違的芳容。

「喬兒，真抱歉。」他柔柔地道：「還來不及給你幸福，就先一步走了。」

她雖然想用瞇著的眼多看他兩眼，卻又怕控制不住情緒，便側過身去，背對著他。

「不過這對你說或許更好吧？雖然我們名義上叫夫妻，可是自從得知自己搶親的行為有多不堪後，我就不敢再靠近你，生怕每一次靠近都會為你帶來傷害。

雖然娘和爹都是這樣成婚，雖然這在當今世道習以為常，但我卻不希望我們的關係只是因循苟且。
我很喜歡你，從第一眼看到你就喜歡上了，但直到婚後一起生活，一直遠遠地留意你的一舉一動，你的呆相，你的脱俗，都讓我越來越喜歡你，喜歡得，想讓你也同樣地喜歡我，所以我想慢慢地，一步一步地重新靠近你，讓你重新認識我。
無法……
哈，慢這字竟會在我這急性子身上出現，或許就是因為與我不搭，才令我無法……
無法親口告訴你，我有多……
有多……」
他稍稍頓了頓，然後繼續訴説自己的感受與悔恨，直至天際泛白，他才趕在她起來前離去。
他徹夜傾訴。
她徹夜未眠。
他們在他不知情的狀況下，再度共處了一晚。
為他帶來了點點安慰。
卻也為她帶來海潮般的衝擊。
父親的勸告，在此刻變得一文不值。
她徐徐撐起身子，睜開通紅的雙眼。
「伯符，我們會重聚的，到時不但能再聽到你親口向我傾訴，而我也、我也……」
這清晨，她下定了決心，即使背棄靈巫，背棄喬家，亦要找出與他再重聚的方法，哪怕那方法有違天道，亦在所不惜。

十三 力所能致

晨。

晨光如常，普照大地。

符甫步出房門，就被照耀得難受。彷彿連太陽都在告誡著符，著他莫忘自己的身分。

他是一個死人，一個亡魂，一個無常。

符在後園中呆佇了會，然後徐徐嘆道：「唉，天大地大，卻好像已經沒有我的容身之所，亦沒有我能做的事了……」

「說起來，是不是該回去繼續當無常呢？」符抬頭望天道：「可是現在又已經沒有了要累積功德的原因。」

「哎哎哎，不知幹甚麼時，就該先做每天的課業！」符伸了伸懶腰，然後就開始伸展手腳。

此時，吳夫人亦起床，跑來後園晨練了。

「娘啊，很久沒和你一起晨練了呢。」符自言自語地笑道：「說起來，當初也是你迫著我們開始晨練的，真令人懷念。」

吳夫人自然是沒有回答，繼續睡眼惺忪地扭動身體，拉鬆四肢。符也放慢了自己，好配合上母親的節奏。

長廊傳來了腳步聲，人尚未現身，吳夫人便先叫道：「叔弼，肯回來了呀？」

只見叔弼褪下兜帽，淺笑道：「為了陪娘你做早操，所以馬不停蹄的趕回來了。」

吳夫人問：「呵，真會說話，習慣逐日了沒有？」

叔弼聳肩答道：「恐怕還要段時日，每當我以為跟上了她，她就會跑得更快。」

「是因為她跟慣了大哥的步伐吧。」仲謀拖著疲憊的腳步來到後園，習慣使然地挨住那株梅樹，道：「與其勉強自己跟上，不如讓她習慣你的節奏吧。」

叔弼再聳了聳肩，然後轉問：「又熬夜了嗎？」

吳夫人道：「你可要照顧身子啊！」

仲謀也開始跟著二人一鬼，一同開始早操，並答道：「沒辦法，現在要處理的事實在太多，不過都有眉目了，之後應該會好點。」

叔弼問：「有需要到我的地方嗎？」

「正好有。」仲謀說：「不過聽說你正在蜜運？」

「沒錯，是徐家的姑娘。」叔弼紅著臉道。

「哎呀哎呀，怎麼為娘一點都沒聽說過呀？」吳夫人笑盈盈地問。

十三 力所能致

叔弼說：「本想剛才私下和娘你說的，只是二哥不懂看氣氛。」
「是我不好。」仲謀淡然道：「不過，你願意再多娶一個嗎？」
「妾？還是必須是妻？」叔弼冷冷地問。
仲謀答：「是曹操的姪女，恐怕是妻了。」
叔弼沉默了。而在場的人和鬼，都明白他沉默的意思，包括在長廊偷聽的季佐。
「讓我代替三哥吧。」季佐步出長廊，答道：「反正我仍單身。」
吳夫人緊張地問：「季佐！你知道娶曹操的姪女代表了甚麼嗎？」
「娘，我當然明白，但我也想為孫家做點事。」季佐向吳夫人行禮道：「畢竟二哥本已另有要務委託三哥，我也想為兄長們分擔，我雖體弱，但也請讓我肩負一些力所能致之事吧！」
吳夫人一臉為難，轉頭問道：「仲謀，你怎麼看？」
「我的確還有更重要的事要拜託叔弼。」仲謀閉目深思了會後，答道：「既然季佐如此有心，那就拜託你了。」然後再問：「叔弼你同意嗎？」
「謹遵二哥吩咐。」叔弼道：「那，另外要我做的要事，是甚麼？」
仲謀答道：「我準備派河堂兄和琨表哥去打廬江。」
叔弼問：「你是想我跟去？」
仲謀道：「沒錯，而且是易名並以部將身分跟去。」
叔弼作揖：「領命！」
仲謀詫異道：「你……不問為甚麼嗎？」

叔弼道：「君有命，臣就去。」

仲謀一怔，然後拍了拍叔弼的肩頭，再轉向吳夫人道：「娘，那我先去睡會了。」

吳夫人問：「你不吃早飯嗎？」

仲謀打著呵欠道：「我睡會後，在去郡府的路上吃。」

吳夫人：「今天還要開會啊？」

仲謀道：「對。畢竟陸家的事真的很難搞，沒想到他們對我們的恨意又變得更高了。」

然後，仲謀便先回房，符、吳夫人和叔弼繼續晨練，季佐則坐在一旁等待他們練完後，再一同吃早飯。

「終於，有上京的機會了……」季佐笑著喃喃自語。

「陸家嗎……」符最後抖了抖手腳的關節，完成了晨操，並找到自己能做的事，他抬頭西望，微微笑道：「那就，再去廬江一趟吧！」

符領走仍在後園角落睡覺的翊後，便離開孫家大宅，向目的地進發。甫一出城，那鸚鵡已隨即趕至，降在符的肩上。

「下一站去哪呢？」鸚鵡問。

「廬江。」

「為甚麼？」

「仲謀解決不了陸家的問題，而且還說他們對我的仇恨更盛，早前遇上那于吉長不是也說了嗎，陸家的亡魂們又再作祟，說不定有關連。解鈴還須繫鈴人，所以我打算親自去解決。」

「我不理解，明明我們已不再屬於俗世，明明已擺脱社會、家族與血脈的束縛，為何你還要為他們操心？」

「縱使已經死了、縱使已離開了，但我還是……想為他們做些力所能致之事。」符無奈説道：「何況，我還能待的地方、還能做的事，都已經不多了。」

「天大地大，容身之所處處，能做之事千萬。」鸚鵡變回禰衡，繞著符轉起圈來，並道：「這靈魂的世界就像一個新天地，既有其新的法則，又能在最接近的角度旁觀塵世，何不好好享受這一切？」

「你反對我去廬江？」

「不，我們又不是朋友，無權阻撓你的決定，我只是不解。」禰衡頓了頓腳步，然後笑問：「但看你苦著臉，為家人幹些他們無法知曉的事，又是一種趣味。不過，你不是想找出哪個兄弟殺你的嗎？」

「我沒説不查下去啊？」符也笑了。

「這就對了嘛！」禰衡鬆了口氣：「那才是最精彩的戲碼！」

符沒好氣地搖了搖頭，然後淡然地道：「反正，我就只是在你那前老闆死之前，讓你消磨時間過日辰的觀察對象，對吧？」

禰衡一怔，然後才道：「沒錯。」

十四

江河壯闊，仍難與吞噬天下的隆冬相比。

白雪不單染指兩岸，連長江這條橫斷中原的大水都難以幸免，江面被寒冬凍結了一層薄薄的冰霜，讓滾滾大江彷彿被停住了一般。

多得這層薄得無法載物的冰霜，符等人不必費心，只要徒步就能跨越長江。

「真冷，竟連長江……都有被凍住的一天。」于吉長在寒氣中徐徐成形，在長江中央擋住了符的步伐。

「這不是很常見的事嗎？」符淡然答道：「我小時候幾乎每年寒冬，都會與兄弟們跑到凍住的江河試膽，看誰敢在冰上面走得最遠。」

「不，這種寒可不常見，是在這十數年間？還是數十年間？才開始變成常態。」于吉長在冰面上踱步，並道：「在那之前，南方的冬天還沒這麼森寒，那時的農作物收成得更好，亦沒有那麼多人染上傷寒……哈，傷寒、傷寒，都傷在這不尋常的寒上了。」

「數十年前的話，我倒還沒生出來。」符聳肩道。

于吉長道：「説起來……你終究還是回來了。」

「你早就知道我會回頭？」

「不，我是沒想到……你當時真的會繞道走。」于吉長問：「心結，解了嗎？」

「未解，所以我才會回來。」

「莫非……是與那班陸家亡魂有關？」

「沒錯。」

「你想怎麼對付他們？」

「超盡度絕。」

「甚麼……東西？」

禰衡搭嘴道：「大概是趕盡殺絕的意思吧？」

「你們知道陸家那班亡靈的價值嗎？」于吉長表情陰森地問。

「又是養肥他們再收割的那一套嗎？」符不屑道：「生時逐名逐利逐官位，死後還要為甚麼鬼功德死算爛算，連自己的本分都不管不顧。」

「你説得很對。」于吉長笑道：「只是……你還沒看清所謂的本分，到底是甚麼。」

「反正你也只是打算擺出一副比我活多幾倍所以早就看透世事的姿態來説教，而不打算明説你所謂看清後的本分是甚麼吧？」符雙手交叉胸前，踏步向于吉長：「不攔就走，要攔就打！」

「那也……不是能單憑口説就講得清的事，畢竟大道理總是説來老套，卻在有過經歷後方能感悟的奇怪之物。」于吉長探手入懷，取出一把寒豆，並道：「雖然勸止不了你，但這路我還是要攔的。」

于吉長將寒豆撒到冰面上，竟化作了一個個武人，手中拿著刀槍劍戟各種兵器，將符團團圍住。

符雙手各伸出二指，作劍形之態，然後各向身側一揮，劍氣如利刃出鞘，嗡嗡作響。他卻不急著出手，擺好架勢後，專注地觀察著豆人的舉動。

豆人眾將包圍圈一步步收窄，直至符進入了槍人和戟人兵器可碰及的範圍時，攻勢展開。

槍戟先行，刀劍後至，上下左右錯落有致，密不透風的刃光直將符吞噬。

然而，一隻添翼的小貓從符的懷裡撲了出來，並立馬長成一隻猛虎，將圍堵在符前方的豆人眾一下子衝散。

符亦無意與豆人糾纏，待翊為其解圍後，他已箭步衝出，雙劍直搗于吉長。

于吉長卻不閃不躲，任由利劍直刺向自己。雙劍分別刺入肩頭及脇間，卻沒有任何反應，沒有皮開肉綻，沒有血如泉湧，于吉長只是淡然地望著符，並道：「以靈鑄成的劍，也只能刺靈。」

符退開兩步，任由劍身留在于吉長身上，他觀察了會後才道：「連這具也是豆人嗎？」

「你明明親眼看著我這身子是憑空現形的，卻沒想到這點……」符眼前的于吉長，臉容突然化成豆人一般模糊，然後其聲音轉成從符身後傳出：「……就是因為歷練不足！」只見符身後一眾豆人的其中一個化成了于吉長的樣子，並領著其他豆人一同襲向符。

符看準于吉長的攻擊來閃躲，卻沒想到在于吉長攻擊的一瞬，他的臉容又化開了。同時，向符刺來一劍，帶著靈力的一劍。

符勉強扭腰閃躲，但這劍仍劃開了他的右臂。

「嗤！轉移得真快！」符用掌心抹過手臂，瞬間撫平了傷口，然後擺好架勢，準備再度迎擊，卻沒想到腳還沒站穩，于吉長又從左方攻過來。

符為了擺脫被圍攻的困境，雙手化作刀形擋架，並借于吉長擊向刀身的力度跳離包圍網，落到禰衡和翊的身旁。

「呵呵，要幫手嗎？」禰衡先嘲諷後問道：「以彼之道還施彼身，如何？」

「不必了。」符卻冷冷地拒絕了，這讓禰衡有點意外。

符拒絕禰衡，似乎不是因為有更好的方法，只見他一直在擋格防守，連半星反擊都作不出，但禰衡卻認出符那張深沉的臉，他，在思考。

在于吉長綿綿不絕的攻勢下，符的傷勢漸多漸重，但他的表情卻漸輕漸快。

符到底在思考甚麼？在想甚麼？

他，在回想甘始的舉動。

將他們推飛的那一招。

那是氣？還是風？

符發現自己在鑽牛角尖，於是便換個方向去思考，不再糾結對方如何施展，而是回想自己的感受，他被擊中時的感覺，那是一種甚少遇到，卻不算陌生的感覺，就像……

就像撞上……

就像撞上一堵……

牆？

有了頭緒，符便馬上實踐，他雙手向前一推——

卻甚麼事都沒發生。

錯了？

不，近了。

符不管傷勢，乾脆只用刀身護著弱點，然後閉目深思。

錯的不是答案，是聯想的方法。

符知道甚麼是牆，亦知道牆的形狀，但牆的款式實在千變萬化，他剛才聯想的，只是一堵抽象、虛無，一團被他認為是牆的印象。

他要聯想出最清晰的牆。

最高、最堅實的牆。

那團抽象、虛無的印象，漸漸成形，卻變得越來越不像牆。

印象，變成了一個背影。

父親孫堅的背影。

是名為父親的一堵高牆。

但這對現在的符來說，還不是最高最厚實的牆。

父親的背影繼續變化，然後，變成了一個身披白袍白甲的青年背影。

符不禁笑了笑，然後將刀形的雙手化作雙掌，再次向前一推——

牆形！

只見隱藏在眾豆人中間的于吉長猶如被烈風吹走一般，直推到長江的另一岸。

「看來……是我輸了。」于吉長躺在岸邊，瞪大眼望著天空，無力地説道：「你這一招是甚麼名堂？」

「就只是一堵牆，從甘始那學來的。」符鬆了口氣，一邊撫平傷口，一邊走向于吉長：「你這就放棄了嗎？我也不過才剛學會而已。」

「不了，那寒豆陣已是我最自豪的絕技，被你破解了，就已經結束。」于吉長喘著大氣道：「畢竟我本來就不擅長打架。」

「那你擅長甚麼？」

「房中術。」

符臉紅了紅，然後露出詭譎的笑容。

「別想歪，那可是修仙之術，不是那種情慾污穢之法。」

「用那種事來修仙，我倒覺得更污穢，那不是褻瀆了繁衍傳承的行為嗎？」

于吉長一怔，再道：「或許……就是因為這樣，我才一直是個半調子半仙。」

「那這次失職，會對你這半調子有影響嗎？」

「影響不大，頂多就是被剝奪于吉長之位，再做回于吉罷了。」

「那何不乾脆放下？」符問：「對了，你當于吉是為了甚麼？」

十四　再闖蘆江

「當然是為了成仙。」

「成仙又是為了甚麼？」

「是為了……甚麼？」于吉長沉默了。

符沒有追問，就靜靜地等，等于吉長回想起來，又或者確定自己想不起來。

「我追逐了仙位三百年，卻發現自己已記不起為何而追逐，真諷刺。」于吉長眼眸一潤，皮膚更以肉眼可見的速度老化皺化。

「或者，試試換個方向，去想想成仙後能做甚麼？說不定就能想起你成仙的目的。」

于吉長聞言，老化就停了下來，他細想了會，才說道：「又或者放下，反而能更接近目標。」

符手足無措地道：「我剛才就是這樣才領悟出牆形，你不必這麼快放棄啊。」

然後，他手一揮，那件象徵于吉的白衣就變成了一套青襤衣，他如釋重負地慨嘆：「與其用三百年歲月去追逐功德，說不定去四方遊歷，更能讓我領悟仙道。」

「那，我可以進蘆江了？」

「已經不關我事了。」

「那，你要走了？」

「對，想去見見那甘始。」

「那，一路順風了，于吉長。」

「不，別叫于吉長了。」

「那，那于吉？」

「我俗名左慈。」左慈說畢，卻似乎沒有離開的意思。

「嗯？你不起行嗎？」符詑異道。

「我想先跟著你們進廬江去舒城，看看你如何解決那班怨魂。」

「那可是要收費的啊。」

「票價……怎麼算呢？」

「告訴我們，關於靈界的各種事。」

「那可能……要數十年啊？」

「說多少算多少。」

左慈笑了笑，然後點了點頭，便加入符一行人，向著廬江曾經的郡治——舒城，進發。

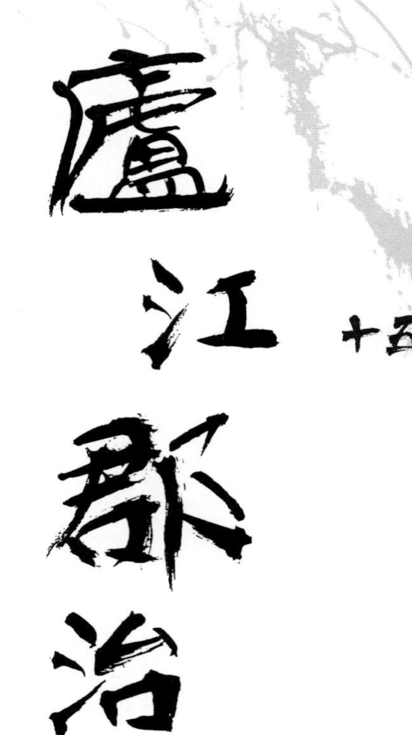

「所以……你就認為甘始使的那招是牆了？」左慈問道。

「難道不是嗎？」符説：「感覺效果差不多。」

「但你們被吹走時……有撞到甚麼的感覺嗎？」

「那倒……好像沒有？」符答。

「那時是在毫無感覺下，突然就拉開了距離。」禰衡補充道。

「據聞……有種叫結界術的仙術，能排斥異物，我想應該就是那種術了。」左慈笑道：「不過你竟想到用自己的咒來重現術，真是不得了。」

「咒？我這是咒？」符問：「咒是這麼萬能的東西麼？」

「由靈魂凝煉的能力，就是咒。只要是同一個人使出的，就算看上去判若天淵，其實都是同一性質，像你父親的咒，歸納來説就是馴化。」左慈説：「至於你的，大概就是重現物件吧？」

「啊，你認識老頭子？」

「呵，我就是你老頭子的于吉。」

「真是孽緣。」

禰衡插嘴道：「閒話家常完的話，可否回到剛才的話題？」

「咒的話題？」左慈問。

「不，那我已經大概理解了。」禰衡語帶挑釁地道：「我想知的，是術。」

灰。

混沌的灰。

混沌濁亂的灰。

陰霾的灰，襯上城牆的灰，讓舒城內外都陷入迷茫混沌。

舒城。

盧江曾經的郡治。

這裡既是公瑾的故鄉，亦是伯符少年時期的家，更是他踏上血腥征途的起點。但現在，符一行人的眼前，卻只有一座被陰霾籠罩的鬼城。

十五　廬江郡治

那片縈繞不去的陰霾，卻非實在的烏雲或濁霧，而是人與亡魂所散發的絕望與怨氣。這座城在數年前曾受伯符的蹂躪，但帶來的實質傷害其實不大，城廓依然完整，僅有的破損都早已修補。

外在上，她早已做好重新當郡治的準備。

但內裡，卻已殘破不堪。

當城民失去了希望，人心無法再凝聚，每日睜開眼就只會記起往昔那纏繞不散的惡夢，那這座城再完好，都只是牢籠。

舒城城民，有條件的，早就遷移到新郡治皖城，甚或更繁華，更有希望的城鎮去。沒條件的，也跑到巢湖當湖寇。

無論大江南北，只要能走，都走了。

留下的，不是無法遠走，就是被亡魂纏繞。

舒城，城仍在，人心卻不存。

望著眼前那座死氣沉沉的城，禰衡詫異地問：「這座城到底經歷過甚麼？尚未入內已感受到一股令人厭惡的氣息，不是讓他人厭惡她，而是她自己在厭惡自己。」

左慈不答，卻望向符，並露出怪異的笑容。

符嘆了口氣，然後準備開口説道：「那是距今大概六、七年前的事……」

「別，比起聽你口述，我更想親眼看看你到底做了甚麼好事。」禰衡制止了符，並伸手搭向他的肩膀。

「等、等等！」沒等符抗議，蜃樓已驟起，並逐漸籠罩了整個舒城及其周邊。

七年前的舒城，展現眼前——

舒城郡衙。

忠義將軍暨廬江太守陸康正在房中審批文書。門外卻突然傳來急亂雜聲，隨後主簿便入內稟報：「報告太守大人，袁術那邊有消息！」

「那亂賊又來要糧嗎？上次說了不給，這次答案也是一樣，叫他的來使滾。」陸康頭也不抬，只是沒好氣地覆道。

「不，這次不是來要糧，是發兵了！」主簿道。

「發兵？領兵者是誰，紀靈嗎？」陸康終於從文書堆中抽身。

「不，領兵者是孫策，官拜懷義校尉。」

「孫策？沒聽過。」

「他是孫堅之子，城中望族周家公子周瑜的總角之交，早些年山賊仍未盡討時曾登門自薦，當時大人事忙，所以是屬下去應酬他的。」

「孫堅的兒子又怎樣？還不是淪落成狗賊袁術的手下，不過老夫記得他老子本來也是袁術那一派的。」陸康不屑過後，問道：「那他帶了多少兵馬？」

「不過一千。」

「哈哈，這也敢來廬江撒野？」陸康不禁恥笑道：「一千人馬，就算他老子復生老夫也不怕！」

「那屬下吩咐廬江各地如常守備？」

十五 廬江郡治

「不，等等。」陸康捻著花白的長鬚，笑道：「要不，乾脆去教訓一下那野小子？我有點懷念當年征伐黃穰那十萬亂賊時的馬上風光了。」

「可是，那已經是十三年前的事了，大人你也已……」

陸康不悅地拍了拍大腿，卻發現髀肉軟攤如脂團，臃腫垂墮，了無生氣，於是道：「這髀肉，看來的確需要鍛煉一下才能再上馬了，不過鍛煉得來，那野小子怕也沒了。孫子有云：『五則攻之』，就叫陸駿領五千兵馬去趕他走！」

「知道！」

「讓老夫代替那野小子的爹，教會他何謂現實的殘酷吧。」陸康笑了笑：「歲月也讓我變得慈祥了呢。你說對不對，儁兒？」

「爹說得對。」主簿陸儁躬身道。

「郡府內別叫我爹。」陸康擺手道：「去去去，幹活去！」

陸儁作揖後離開，然後便通知都尉陸駿領兵討伐來犯的孫策。

三日後。

一名渾身髒亂，一臉驚恐的士兵狼狽地跑進城內，主簿陸儁見狀便跑來理解：「發生甚麼事了？」

「報、報！陸都尉率領的五千兵馬已被孫軍突破，他們已經往舒城殺來了！」

「怎麼可能？」陸儁疑惑：「五千兵馬竟不夠應付一支千人部隊？」

「不……他們的兵馬分成了兩隊，主隊約有七百，尚在後方，現在殺來的是一支先行的騎兵隊。」

「三百騎嗎？」

「不，只有大概二百騎。」

「那還有一百人哪去了？不，那不重要。只有二百騎的話，即使殺到城下亦無甚威脅，吩咐士卒閉門防守，並著陸都尉儘速回頭包夾他們，之後再應付餘下那支部隊。」

「可、可是……主力被突破的方式……是潰敗……」

陸儁一怔，然後不敢置信地問：「你是說……單憑二百騎，就擊敗了整整五千大軍？」

那士兵點了點頭。

陸儁只好重重地拍拍臉頰，勉強讓自己提神，才前往向陸康稟報。

「怎麼可能！」陸康聽過情報後不住大吼大叫，又將案上文書都推到地上，四處踢打家具，待氣稍消後才說道：「老子不信！走，老夫要去親眼瞧瞧！」

陸康領著陸儁為首的文臣武將，浩浩蕩蕩地登上城門。陸康甫望出城外已噤聲不語。世上可有比自己的雙耳雙目更可靠的耳目？或許沒有。

「哈、哈哈！」陸康望著遠方揚起的塵土，僵硬地笑道：「區區二百人馬，莫說風浪，連煙塵都掀不起多少啊！」

陸康頓了頓後，便吩咐道：「儁兒，快派人去收拾他們。」

「已經安排人馬了。」陸儁作揖道。

「好，好，好！」陸康拍手道，卻隨後在陸儁耳邊：「説過多少次了？要待我下令再行動。」

陸儁不語，只是再次作揖。

舒城城門徐徐敞開，高舉廬江太守陸字旗號的軍隊踏著整齊的步伐，向著來犯軍隊的方向進發。

只見城門甫開，遠方騎兵揚起塵土隨之式微。

「哈哈，他們怕了！他們怕了！」陸康興奮得攀上城牆邊，然後向城下的軍隊指手劃腳地道：「上啊！衝啊！別讓他們逃出廬江，把孫家那野小子給我活捉過來，我要好好説教他一番！」

廬江三千守軍，如潮如水，看似緩慢，卻在不知不覺間已靠近目標，彷彿下一刻就要將那徬徨無助的二百騎兵吞噬。

短兵相接。

潮水猶如撞上高山，被硬生生的剖開兩半。

城門上的眾人都沒看清，到底是廬江守軍一碰上孫軍就分成兩半，還是孫軍在短兵相接的一刻發起衝鋒，衝散了守軍。

始如處女，敵人開戶；後如脫兔，敵不及拒。

——《孫子・九地》

牆上稍有學識之士，都不約而同地想到《孫子》，他們都曾不約而同地想不明白，軍隊要如何才能動如脫兔，直至這刻，他們才終於理解。

正當眾人還驚訝於孫軍啟動之快，他們已拐過馬步，回頭從守軍右後側再度衝鋒，直將本已被劃開的守軍由一開二，再分成四。

孫軍隨即再拐向守軍左後方，然後再衝一陣，將守軍由四再分為六。

守軍將領本以為孫軍會繼續拐向衝陣，以將他們完全衝散，卻沒想到孫軍沒有再拐，而是挺槍回馬，開始伐殺。

嗖、嗖！

孫軍槍例不虛發，每刺出一槍就有一名敵人躺下，而他們的刺法亦相當獨特，先是向左前方發力直刺，刺中後再扭腰拔出槍刃，同時回著馬步及腰身向另一方向再刺一槍，二連槍俐落流暢而且純熟，二百騎幾乎都用著同一節奏刺槍，僅交戰一合，守軍已被刺死刺傷近四百人，而孫軍騎兵只有少數受了輕傷。

因為，二百騎幾乎都用著同一節奏刺槍，除了一人例外，一個少年將軍。

一個身披赤袍銀甲，雙手各執一桿黑鐵長槍的少年將軍。

他不但雙手執槍，背後還掛滿各式刀槍劍戟，馬背上還馱著兩個半個人般高的木箱，裡面亦插滿了長短兵器。

少年將軍游離於陣外，投擲長兵器來擊殺敵軍的部校尉、軍候和屯長，令守軍各隊失去指揮，無法應對騎兵的衝陣。

孫軍的騎兵雖然步調一致，二連槍法熟練，但節奏卻極為單一，只要是有實戰經驗的領兵者，都大抵能在三合內掌握其節奏，繼而阻擋衝陣，二百騎兵面對三千弓、步兵，只要稍為停下了腳步，就會被弓兵箭雨殲滅。

但僅僅因為有了這名少年將軍的關係，不斷失去前線指揮的廬江守軍，一直無法有效地應對騎兵的衝擊，傷亡漸多，眼見即將失去人數優勢。

「那賊將是何人？為何任由他猖狂？弓手何在？快把那臭小子給宰了！」陸康在城牆吼道。

明明相距逾四百步，但那少年將軍卻似乎聽到陸康所言，他轉過身來，並從背後抽出一把閃爍著光澤的柘木獵弓。他向著舒城上空拉滿了弓，然後手指一放——

箭如流星，射向青空，然後稍稍下墜，直刺向陸康！

利箭劃破了陸康的髮髻，然後直沒入他身後的城牆。

「太守大人，可終於見上你了！」少年將軍放聲道，竟連四百步外的城牆上仍清晰可聞，他作揖道：「賊將孫策，曾耳聞大人威風八面，力敵十萬賊眾，卻沒想到旗下守軍不堪一擊，不知是否年邁，領軍已力不從心？若無力與晚輩再戰，何不就此投降，免去一場腥風血雨。」

陸康跌坐在地，好一會才回過神來，卻見他雙目已無懼色，更消卻了氣焰。他站了起身，馬上吩咐左右：「鳴金，收金！敵將勇猛，不宜硬碰，全軍回城死守，耗盡敵軍糧草。同時命陸駿迂迴歸城，莫要接戰！」

這一箭，這一辱，卻喚醒了陸康，那個曾經務實謹慎、雷厲風行、賞罰分明的忠義將軍暨盧江太守，回來了。

但不知為何，面對這大大不利於自己的形勢，孫策卻笑了。

盧江守軍退回舒城後，孫軍繞著城兜了數圈，最後分成三隊，在城東北處叢林旁輪番紮起營來，一隊紮營時，另一隊原地守望，餘下那隊則巡邏周邊，一旦敵軍偷襲，就可馬上馳援。

陸康已決定堅守不出，所以對孫軍只作監視，不作無謂的接戰，畢竟親身目睹過孫策的作戰方法後，他已深明，在帳下無勇將的情況下，根本就沒法與之對抗。但陸康亦不打算坐以待斃，作為吳郡望族陸家的當家，不單自己家族人才輩出，如主簿陸儁和都尉陸駿，就分別是他的長子及子姪。加上陸家與江東其他望族世代聯姻，所以盧江附近遍布陸氏子弟、姻親及門徒。只要戰事拖長，四方馳援，孫策必敗無疑。

畢竟，孫策只有一千兵馬。

一千兵馬，是當下舒城守軍的十分之一，即使孫策勇猛無匹，能領軍以一當十，但若這十倍兵馬堅守不出，亦是無可奈何。

畢竟《孫子．謀攻》有云：「十則圍之，五則攻之，倍則分之，敵則能戰之，少則能守之，不若則能避之。」

莫非孫策還能反其道而行，以十分一反而圍之？

陸康深信，即使孫子後人，亦絕無可能無視兵法。

沒錯，陸康聽聞過孫家自稱孫子之後。

這是孫堅為了提升地位及名氣所作的吹噓，起碼大多數人都如此認為。

孫家卻不，孫堅的子女自幼就被他灌輸自己是孫子後人的思想，所以他們從未心存質疑。

但，即使是孫子後人，也不見得能攀上孫子的境界，能讀通《孫子》已是不負家名。

可是，《孫子》問世已數百年，天下有識之士幾乎都拜讀過，當中自然不乏讀通之輩，連能靈活運用，繼而突破孫子境界的，亦不在少數。

那，孫子後人，又有何可懼？

陸康卻算漏了，一種只屬於子嗣後裔的思維——叛逆。

孫子後人孫策，偏要反《孫子》之道而行。

孫策，要用十分一的兵力圍城。

兩日後。

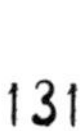

孫軍的主力終於來到舒城城下，騎兵乘著守軍不敢輕易出擊，已在城的東北、東南、西南及西北四角紮好了營，而每個營之間亦紮了幾個簡陋的細營。主力來到後，便分成了三支二百人隊及一支百人隊，進駐各角軍營，兵力最少的一支則布在叢林旁的東北營。

至於騎兵則分成三隊，一隊繞城巡邏，一隊休息，一隊緊盯城中布防游走各處。

孫軍就這樣，以微薄的兵力圍起了廬江郡治舒城。

陸康眼見孫軍兵力分散，明明是進攻的大好良機，卻一直不敢輕舉妄動。

因為，他跟丟了孫策的蹤影。

孫策在主力到後，似乎就換上了一般騎兵的戰甲，隱沒在騎兵陣之中，而無論哪一隊騎兵隊，都有數匹馬的背上掛著那些顯眼的兵器箱。

孫軍的布陣看似巧妙，不布在城門對出，而是布在城的四角，明顯是為了讓騎兵有衝鋒的空間，但可悲的是，其兵力太少，而騎兵更是只有區區二百騎，還要分上三隊。當然，孫策所在的一隊必然難以應付，但以舒城兵力，只要同時向四方出兵，即使不幸遇上孫策的一隊會潰敗，但另外三隊卻必定能一戰功成。

然而，潰敗的一方卻會讓孫軍有了直入舒城之機。

問題，只在於孫策。

孫策在哪裡？只要找出來，這場仗就結束了。

所以，在孫軍布好陣後的這天裡，舒城上下都聚精會神地尋找著孫策的蹤影。

入夜，正當陸康以為這日無功而還，卻沒想到，回房方躺下不久，就傳來發現孫策的戰報。原來孫策並沒有易服，而是一直躲在東北營中，待入夜後，視野不清才現身。

雖然視野不清，但斥候仍能勉強看到，孫策領著車隊，向東南營而去，似乎是在運送糧草補給。

「真狡猾，竟借夜色潛行。可惜老夫帳下的斥候都是飽經歷練的老兵，這些小動作可逃不出他們法眼啊！」陸康寢衣狐裘，領著幾位親信登上牆頭，雖然只看到四下漆黑一片，但他卻深信已掌握了孫策的動向，於是便命令馬上出兵，進攻西北營。

縱使孫策只是在護送糧草，僅有十騎相伴，但陸康仍然不敢貿然與之硬碰，一來懼其勇武，二來不想再有半點機會為他增添戰績，之前兩陣，已令整個廬江的軍民心中植入了恐懼，在他們心目中，孫策已經開始並肩其父孫堅，那個曾擊敗呂布、斬殺華雄，董卓最為忌憚的名將。

陸康不但要擊退孫軍，還要壓下孫策的氣焰。

舒城緊急集結出一支千人部隊，全都輕裝上陣，打算以最快的速度攻破西北營，然後馬上回城。

然而，部隊出發後不久，就受到突襲，兩支約五十人的騎兵從西南及正西邊殺出。一千對一百，只要能冷靜應對，就成不了威脅。

但，舒城軍卻無法冷靜下來。

因為兩隊騎兵的領頭人，都是銀甲黑槍，馬上還掛著兩個載滿武器的木箱。

誰是孫策？

在夜色裡根本無法分辨。

誰都可能是孫策。

當這想法被灌入守軍腦海中時，這一陣的勝負就已見分曉。急成軍的突擊隊被衝得七零八落，戰況甚至比之前更為慘烈，起碼，在親臨現場的士兵心中的確如此。

本以為折損了約八、九成的部隊，幾經艱苦終於回到城內，才發現戰況並沒想像中差劣，損失只有兩成左右，但在夜色與未知的籠罩下，恐懼被放大了數倍，讓這尋常的撤退，變成了大敗。

陸康忌諱孫策名聲坐大，選擇了最保守及穩健的一著，卻亦因為穩健，所以才最易被猜中，於是孫策便將計就計。

陸康最害怕的事發生了，孫策成為舒城乃至整個廬江的夢魘，舒城軍中甚至有人將他與那些名留青史的勇將名帥，如龍城虎牢兩飛將相提並論。

翌日，清晨。

徹夜未眠的陸康已換上官服，再度登上城牆，但這次只有他自己一人。

晨風最能讓人清醒。

陸康倚著城牆，極目遠望，然後才將視線收回來，投在不遠處的孫軍東北營上。望夠了，就走到東南方再望，接著就是西南，然後是西北，最後再回到東北。

陸康用了整整一個早上去視察孫軍，然後做了一個決定——正面決戰。

「真的要這樣做？」陸康在軍會上宣布自己的決定後，引來了眾人的質疑，既為主簿，同時又是陸康之子的陸儁自然地承擔提問的責任：「可是那孫策正勢如破竹，是否該……」

「我明白。」陸康徐徐答道：「現在舒城上下都開始畏懼孫策，卻又對被區區一千兵馬圍城而耿耿於懷，內心忐忑之下，只會讓憂慮日增，最後因猶豫不決而壓垮。所以，我決定待陸駿和餘下部隊回來後，就傾盡全力再反攻一次，成事，則圍解，不成，則堅定死守，不再作他想。」

眾人聽過陸康之言後，體內不安的血液漸漸熱絡起來。

於是，舒城眾人開始作總攻擊的準備，而都尉陸駿亦終於領著殘餘部隊回來，卻奇怪地，在回程途中沒有遭到孫軍的攻擊。陸駿順利入城，經點算後，發現當初的五千兵馬只餘下一半，再加上舒城本來的守軍，集結成一支一萬二千人的大軍，其中二千人將用作駐城防務，其餘一萬人將傾巢而出，直搗孫軍東北營。

萬人軍隊的陣仗浩大，自然無法秘密行事，陸康亦不怕孫軍會提早做足防備，因為他要的，就是不要花招的全軍對全軍正面對決，只有這樣，他才能不被孫策的奇兵打亂，才會有勝利的可能。

自陸康下定決心以來，足足過了十天，才終於做好出戰的準備。

結果大軍甫出城門，率軍親征的陸康就吃了一驚。

孫軍竟然毫不作準備，仍然分營圍城，仍然騎兵四散。

「是在小看我嗎？」陸康心想：「不，是詭計。」

「明知有詐，還該繼續嗎？」

「選擇全面進攻，不就是為了應付對方的奇兵嗎？你布陷阱，我就用盡全力，堂堂正正地踏破！」

陸康緊閉雙目，深吸一口氣，然後環顧自己周圍的將士，只見人人士氣如虹，此時不戰，更待何時？

「全軍，出擊！」陸康號令。

果然，如陸康所料，孫軍有詐。

同樣，亦如陸康所料，孫策的勇武非他手下所能敵。

他還料到，這一仗不會輕易。

他甚至料到，即使他傾盡全軍，仍會敗陣。

只是他萬萬沒想到，一個孫策，已令他頭痛不已，但這一戰，竟會遇上全軍孫策。

孫軍全軍都換上了孫策的戰甲，雖然魚目混珠得太過明目張膽，廬江守軍卻仍然不免心寒。

更可怕的是，這全軍孫策中，還有七個特別勇武無匹。

舒城軍目標的東北營有一個，從東南、西南、西北三營趕來圍堵的部隊各有一個，然後分布各處，神出鬼沒的三隊騎兵亦各有一個。

雖然當中有幾個不如本尊，但卻仍是勇將級別。在舒城軍中，能稱得上勇將的，就只有陸駿一人，但他卻忙於應付全軍孫策中最強的一個。

舒城大軍就像一頭健壯的牛，但此刻卻遭到一群餓狼撲食，縱使體格比每一隻狼都大好幾倍，卻無法同時應對群狼的侵擾。將銳利的角對準前方的狼，後方的就會撲上來，想轉身對抗，身側的又會乘勢伸出爪牙。

敗局已定，但起碼，要重創孫策。

陸康揮軍直指與陸駿部隊纏鬥的那個孫策。

卻沒想到，東北營旁的林中，竟飛來兩桿長槍，直將陸康身旁的侍衛刺倒。

第八個孫策從林中現身。

他望著陸康，笑了笑，然後從身後抽出柘木獵弓，向陸康連射兩箭。

兩箭都沒射中陸康，因為目標仍然是他身旁的守衛。

不遠處的陸駿有見及此，馬上策馬趕來，救走陸康後率領就近隊伍直奔回城。其他士兵見狀，也慌忙跟上。

舒城軍陣形全失，大部分士卒只顧逃亡，僅有部分精銳自發地殿後。

孫軍的每一著都超乎舒城軍的想像，甚至連大勝的反應，都不為舒城軍所理解。

他們沒有乘勝追擊，就這樣放任散亂的舒城軍逃回城裡，然後他們就各自回營，繼續圍城。

此役過後，舒城軍的迷惘盡去，他們不再想出擊的事，只想乖乖死守城內。

至此，全城終於上下一心。雖然這與陸康的推算一致，但過程卻過於怵目驚心，以致舒城上下，已不再用甚麼勇將名帥去比孫策，在他們心中，孫策已不再是夢魘，而是惡鬼。即使在見識更廣的文臣武將眼裡，亦只有三人能與孫策並論，一位是尚未兵敗白門樓，仍保有十全戰神形象的呂布，另一位是被稱為國士無雙的韓信。

最後一位，是霸王項羽。

死守舒城的第一天。

晴，甚至頗為風和日麗。

這天，陸康帶著一千文臣清點城中糧庫。

「大人，為何不先召集各武將、幕僚，一同商議防守事宜，而是到糧庫來？」陸儁於陸康耳邊輕聲問道。

陸康頓了頓，然後先嘆道：「看來，我雖然是一個稱職的漢臣，卻不是一個稱職的爹。」再答道：「你認為行軍打仗，最重要的是甚麼？」

「強兵壯馬？」陸儁想了想，又改答道：「不，應該是將領。」

「非也，《孫子．軍爭》有云：『軍無輜重則亡，無糧食則亡，無委積則亡。』，而我軍守城，不必考量輜重，所以重點是糧食及其儲備。」陸康道。

「屬下明白了，這就是所謂的三軍未動，糧草先行吧？」

「儁兒你飽讀詩書，卻總無法在現實中活用。看來當年爹是應該多帶你去見識見識。」陸康苦笑道：「不過若能熬過這場仗，想必你定能融會貫通，屆時爹就可將當家之位傳給你了。」

多年一直未受父親厚望的陸儁不禁怔住，須臾才沉沉地鞠了一躬。

然後，兩父子便領著眾文臣清點存糧。

「按朝廷令，各郡郡治的糧庫均須備整整一年份的糧備。」陸康翻著帳冊道：「不過連年征戰，大多郡治莫說是循漢規備糧，單是仍將漢室放在眼內，已是稀罕。」

「但大人正是世間稀罕的大漢忠臣！」一名幕僚大聲呼道。

陸康得意地笑了笑：「的確，起碼在帳上是按足了漢規。但冊上數字可餵不飽半個人，所以接下來就要我等親自清點。」

於是，眾人便開始分頭盤點，經再三確認後，果真足夠全城上下一年所用。接下便是安排運送及守備，一切妥當後，白輪早已高懸。

「糧是充足，但畢竟都只是各種穀物，肉啊、酒啊、菜啊，這些恐怕很快就會吃光，雖然沒有這些不至於餓死，卻也失去很多樂趣。」陸康望著皎寒的月色，不禁想起往時每晚一杯美酒的日子，再道：「不過畢竟是非常時期，就捱一捱吧！」

「可先吩咐臣民將城中菜肉都製成醃菜肉乾，那就可長期儲存，亦不怕腐爛造成浪費。」陸儁道。

「好，去辦。」陸康答後，再望向銀月一眼，心中不禁向城外孫軍吶喊道：「孫策小子啊，就讓你們這等不懂大漢的意義之輩，見識一下漢臣的硬骨頭。」

孫軍方面，沒甚麼大動靜，仍然如同先前，一隊騎兵巡邏，一隊視察城內布防，其餘在各營待機。

╳

死守舒城的第二天。

晴。

確保了糧草後，陸康召集所有文臣武將，決議方向，雖然決定了死守，但該為何而守？是選擇死守到敵軍糧絕退兵，抑或向外求援，守到援軍來到？

在這戰亂的年代，在這軍閥遍地的年代，求援是一件令人頭痛的事。更何況陸康是享負盛名的大漢忠臣，這即是代表，馳援，是漢臣的義務。沒有利益，不講情誼，無法擾亂局勢，對擁兵自固的諸侯來說，就是百害而無一利。

所以能求援的，就只有那些仍掛著漢臣旗號的勢力。

在會議上，陸儁指著案上地圖中的徐州，提議道：「徐州牧陶謙如何？他與我們相鄰，而且與攻打我們的袁術勢成水火，應肯來援。」

「別看陶謙名聲顯赫，畢竟是從山裡來的，同時也是個心懷野心的傢伙，早年曾敷衍皇命，這幾年來還不斷積糧招兵，他與袁術的恩怨就是爭地盤爭出來的。而且先不論立場，曹操正以報父仇為名征討他，恐怕他亦沒時間分兵來援。」陸康道：「你們看新任豫州刺史劉備如何？據聞他手下有兩員大將，或者可敵孫策？」

「劉備勢力單薄，再加上他與陶州牧關係密切，即使救，相信也會是救徐州。」陸駿答道。

「那荊州牧劉表？雖然隔著大江，但亦不算遠。」陸儁再道。

「劉表旗下的黃祖雖是孫策的殺父仇人，但也不過是戰場上矢石無眼，只怕他不願為了關係平平的我，而使他與孫家的關係進一步惡化。」陸康道。

「益州牧劉焉？」陸駿隨口說出，卻又馬上改口：「不，算了。先不說益州路途遙遠，而且那劉焉連討伐董卓時都沒有出兵，怎麼可能會為了區區一郡出手。」

「廬江既屬揚州，本應聯手揚州諸郡一同抗敵……」陸儁嘆道：「只可惜陳溫大人被袁術所害後，揚州已四分五裂，現在控制諸郡的不是地方豪族就是山越，再不然就是賊寇。」

「不，這也許意外地可行！」陸康高聲道：「我們只要煽動諸郡，指孫策攻下廬江後，下一步就是蕩平江東，說不定可令他們出兵防患於未然！」

「那屬下這就去聯絡揚州諸郡，請求援兵。」陸儁作揖準備離開，卻被陸康叫住，說道：「不單單是揚州諸郡，剛才提過的，全都發書求援。」

╳

死守舒城的第三天。

晴。

陸康和陸儁整日都忙於起草求援書。而在守備安排妥當後，樂得半日閒的陸駿，則回到家中看望兒子，還有那比自己兒子年紀還小的堂弟，亦即是陸康的幼子。

死守舒城的第四天。
晴。
求援書陸續交由死士冒險帶出，孫軍卻沒有阻撓。

✕

死守舒城的第五天。
晴。
書信已全數發出，靜待援軍。

✕

死守舒城的第六天。
陰。
如同昨日。

✕

守舒城的第七天。
陰。

孫軍布陣有變，連步軍都開始撥出兩隊，如騎兵般巡邏，令舒城幾乎每刻都有三個方向的城門有敵軍身影，糧草運送亦漸見頻繁。

陸康有名幕僚指出，這可能是車輪圍城法，雖然眾人都未曾聽聞，但都記在心裡。

╳

死守舒城的第十天。

雨。

守軍習慣了孫軍的新布陣，不安情緒開始消散。

╳

死守舒城的第十一天。

雨。

無甚特別。

╳

死守舒城的第十二天。

晴。

如常。

×

死守舒城的第十三天。

陰。

×

死守舒城的第三十日。

陰。

已堅守一個月，卻仍未收到援軍音訊。

×

死守舒城的第八十九日。

雨。

舒城醃菜肉乾的儲備即將耗盡，舒城民心開始躁動，甚至傳出有大家族私屯酒肉之事。

×

死守舒城的第九十一日。

雨。

有民眾聚集在各名門望族大宅前，聲討其私屯之舉。

╳

死守舒城的第九十二日。

雨。

望族周家遭民眾闖入掠奪，並以此為由向陸康詢求，以盡獻家中存糧為條件，換取離城逃亡，不但願意負上遭受孫軍襲擊的風險，同時同意陸康安插斥候細作於周家族人之中，以收集城外情報。陸康盤算過後答應。陸儁卻對於周家私藏了如此大批糧食相當生氣，同時又覺有一絲不妥。

╳

死守舒城的第九十四日。

雨。

周家準備妥當，向著城東方向逃亡，孫軍依然沒有阻撓。這時陸康才想起周家之子周瑜與孫策乃總角之交，但又心想，雖然放跑了他們，卻亦令城內少了孫軍的內應。舒城民情亦因為周家獻糧而稍稍舒緩。

×

死守舒城的第九十五日。

晴。

因為周家成功逃亡，城中各族開始想效法。

×

死守舒城的第九十六日。

晴。

城裡因為該走還是該留而發生爭執。

×

死守舒城的第九十七日。

陰。

開始有城民逃亡。

×

死守舒城的第九十八日。
陰。
開始有士卒逃亡。

╳

死守舒城的第九十九日。
雨。
開始有官員逃亡。陸康暗地裡將自己最年幼的兒子陸績以及年齡相若的陸駿之子陸議交託他們帶回家鄉吳。

╳

死守舒城的第一百日。
晴。
城裡只餘下六成兵民。陸康宣告背信棄義之徒都已盡逃，現在仍堅守城內的都是忠臣、信將、勇兵、義民，團結一致定可克服一切劫難。

╳

死守舒城的第一百二十三日。

晴。

士卒發現有人爬牆潛入，以為是孫軍，陸駿卻認出是陸家子弟。原來當初逃出的城民將舒城被困的消息傳了出去，雖然各路諸侯仍沒有發兵的消息，但各地的陸家子弟、姻親以及休假外出的將領士兵，都自發地向舒城進發，協助一同堅守。

舒城上下彷彿目睹曙光，無不振奮，本已因絕望而冷凝的血液再度翻騰。

×

守舒城的第一百三十日。

晴。

因為來援者尚未見識過孫策的勇武，堅持要向孫軍反擊，守軍大力反對，令舒城內部再度出現意見分歧。

×

死守舒城的第一百三十二日。

陰。

意見分歧演變成肢體衝突。

死守舒城的第一百四十日。

陰。

來援者不顧守軍反對，集結成一隊五百人部隊，瞄準城南，向孫軍防守最薄弱之處發動夜襲。

×

死守舒城的第一百四十一日。

雨。

來援者部隊大敗而歸，據聞是被一支僅僅十人的騎兵隊擊潰，領頭者是一名銀甲黑槍的少年將軍。

×

死守舒城的第一百四十二日。

雷。

來援者兵敗的消息，令舒城上下回憶起孫策的可怕，士氣再度低落。來援者亦因這一敗而明白守軍當初為何反對他們作出反擊。

×

死守舒城的第一百八十三日。

陰。

半年已過，糧備因為臣民逃亡的關係，即使後來不斷有陸家子弟來援，但人數比逃逸的少得多，所以消耗比預期慢，但眼見已經將近空了一半，負責糧餉的部屬開始感到不安。

✕

死守舒城的第二百二十一日。

陰。

陸康發布限糧令，舒城上下只能靠碎米煮成的稀粥充饑。有民眾開始捕捉飛鳥、貓犬老鼠進食，河塘的魚蝦亦被大肆捕撈。

✕

死守舒城的第二百八十四日。

雪。

飢寒交迫下，老弱病死者漸增。久困城中，亦令不少軍民心智失常。

✕

死守舒城的第三百日。

雪。

幕僚勸說陸康出城投降，被杖責，半月不能起。隨後陸康在眾人面前慷慨起誓，生為漢臣死為漢魂，甘以殘軀昭漢心，寧死不降。但士兵和城民們都已熱血不再。另一方面，陸康亦暗下嚴令，不再允許逃亡，以防影響軍心。

╳

死守舒城的第一年。

雷。

主簿陸儁立下遺書，部下亦開始跟隨。

╳

死守舒城的第一年零五日。

陰。

城民和士兵倣效陸儁撰寫遺書。

╳

死守舒城的第一年零七十二日。

陰。

舒城糧倉徹底清空，走獸飛鳥幾乎絕跡，城裡花草開始被拔而食之，亦有不少人開始吞食昆蟲。

✕

死守舒城的第一年零九十八日。

陰。

文官開始研究史籍，尋找烹調樹皮的方法，因為有士兵發現生啃樹皮無法下嚥。

✕

死守舒城的第一年零一百一十日。

晴。

官員發布樹皮烹調法，指出只要曬乾樹皮再磨成粉，丟棄無法磨碎的部分，將餘下的樹皮粉煮成糊湯或揉作團再燒成餅，就能食用。

✕

死守舒城的第一年零一百八十四日。
晴。
開始有居民因長期吃樹皮無法消化及排便而脹死，但吃樹皮的行為沒有停止。

╳

死守舒城的第一年零二百日。
晴。
城中樹木幾乎全都被剝皮而枯死。人們開始烹煮皮製品而食。

╳

死守舒城的第一年零二百三十日。
雷。
有人在城巷深處發現人體殘肢，而且疑似被啃咬過，吃人傳聞不脛而走。居民相望的眼神開始蘊含異樣。

╳

十七 舒城之圍

死守舒城的第一年零二百三十七日。

陰。

在火化遺體時，越來越多城民圍觀，而且盡是一副垂涎三尺的樣子。

×

死守舒城的第一年零二百四十六日。

陰。

城內發生第一宗公開的吃人事件。

×

死守舒城的第一年零二百四十八日。

雨。

第二宗。

×

死守舒城的第一年零二百六十日。

雨。

黑市中出現易子相食的交易。

╳

死守舒城的第一年零二百六十五日。

雨。

士兵間亦開始以屍體充飢。

╳

死守舒城的第一年零二百七十一日。

雨。

有士兵討論如何烹調人肉，以及各部位的味道口感，被陸駿處以杖刑，犯事士兵卻寫下遺囑，指若自己撐不過去，請將自己的身體分給同袍，並希望留幾兩精瘦的肉給在城中的家人。

╳

死守舒城的第一年零二百七十八日。

陰。

陸儁和陸駿含淚吞嚥第一口人肉。

╳

死守舒城的第一年零二百八十九日。

陰。

太守存糧亦已告盡，陸儁提議斷臂餵父，陸康厲聲拒絕。

╳

死守舒城的第一年零二百九十七日。

陰。

陸康餓暈。陸儁命人將一塊肉交予廚子，著他將肉剁成糜，煮成羹餵陸康。

╳

死守舒城的第一年零三百日。

雷。

陸康終於醒了過來，侍候他的卻不是陸儁，於是他便問道：「儁兒呢？」

「主簿大人他病倒了。」侍從答道。

「哈，他也倒了啊？明明正值壯年，卻沒比我這老骨頭能撐多久，真沒用。」陸康笑道：「來，扶我起來，我要去看看他。」

「可、可是……主簿大人他吩咐小人，要好好照料大人，別讓大人外出受涼……」

「你可知道，太守大還是主簿大？」

「當、當然是太守大。」

「那你說，是該聽太守的話，還是主簿的話？」

侍從無言以對，只得攙扶陸康去探望陸儁。

來到主簿房內，只見陸儁虛弱地攤坐在臥榻，卻仍拿著文書翻閱。

「儁兒啊，為父教過你多少次？休養也是重要的活，身體受不住時就要好好休息，否則強撐一時，只會拖慢日後的工作。」陸康責道。

「大、大人，你醒來了？」陸儁驚道，並不自然地將左腳藏到被子內：「怎麼不好好休息呢？」

「不是工作時就叫爹。」陸康好奇問道：「你藏著些甚麼？莫非是工筆美人圖嗎？快拿出來給爹看。」

陸儁仍想掩藏，但陸康只是簡單地探頭過去，已發現陸儁所掩藏的，不是甚麼美人圖，而是他的左腳。

一隻因失去了一大片髀肉，即使經過包紮，仍感覺到其變得血肉模糊的左腳。

陸康馬上明白發生了何事，並嘔吐大作，陸儁心疼，說糧食珍貴，著他莫吐乾吐淨。

「你這不肖子，竟餵老夫吃人肉！」陸康雙目掛滿淚，撕心裂肺地痛吼道：「你的血肉，可都是為大漢，為了朝廷而存在，你怎麼可以這樣毀了他？你怎麼可以這樣陷為父於不仁不義！」

「所以……我才不捨得剁這雙寫公文用的手呀。」陸儁苦笑道。

陸康緊緊地抱住陸儁，想打又不捨，只能不斷輕拍其後背，並痛罵道：「我怎麼生了你這個蠢兒子啊！不過是餓肚子而已，值得你這麼做嗎！」

陸儁輕拍陸康肩頭，凝重地道：「爹啊，飢餓，可比你想像的嚴重得多。」然後他勉強爬起床，在侍從攙扶下，領著老父出房門，並道：「來，兒帶你去看看官府外的世界。」

陸氏父子在官兵的護衛下走到大街，表面看來只是一片蕭條，但空氣中卻隱隱透著血腥。

眾人來到城南一間酒舍，自守城開始，這裡就變成了負責烹調城南所有居民糧食的地方。舍外吊曬著半成的肉乾，舍內煮著幾鍋肉糜稀湯，輪候配給的城民們，用著一種非人的眼神，瞪著陸康，狠狠地瞪著陸康。

陸儁領著陸康走入酒館，步向庖廚，每踏前一步，陸康的心跳就加快一下。

庖廚的門徐徐敞開，只見雙目無神的廚子們正刀解著骨肉，而那些骨肉，都來自一具具人體。

陸康再度昏了過去。

不知過了多久，陸康醒了，卻不敢睜開眼，生怕一張眼，又會回到那惡夢之中。

陸康不斷思考，為何會變成這樣，是因為甚麼？因為孫軍的暴虐？因為手下的不作為？還是因為舒城住民的泯滅人性？

「不，是因為我。」陸康張眼，哭道：「是因為我的固執！投降吧，向孫軍投降吧！」

降後不久，陸康因為無法進食而病倒，數月後逝世。其子陸儁及後患上一種奇怪的笑病，最後在止不住的大笑中笑死，城中倖存者亦有不少死於同一種病，後來有醫者發現，此症多發於曾食人肉，尤其是人腦者身上。

陸家子弟及門徒在此役中喪生過半，當中包括了將自己骨肉盡分將士的陸駿。在陸儁死後，無奈地依長嫡之序，由陸康的幼子陸績擔任當家。

孫策攻康，圍城數重。康固守，吏士有先受休假者，皆遁伏還赴，暮夜緣城而入。受敵二年，城陷。月餘，發病卒，年七十。宗族百餘人，遭離飢厄，死者將半。

——《後漢書・郭杜孔張廉王蘇羊賈陸列傳》

仇恨的形狀 十八

回憶定格在陸康逝世的一刻，禰衡所構築的蜃樓漸漸消散，過去的舒城化成一縷輕煙，當下的舒城重現眼前，但符一行人，都看不出分別，這座城仍停滯在那一年，那一刻。

禰衡舒了一口很長很長的氣，道：「真是看了齣好戲呢……不過我明明是想再現小霸王大人的記憶，怎麼卻變了受害者的角度？」

左慈道：「恐怕是這片土地的怨氣太大。我雖然早知這事經過，卻沒想到能親歷其中……三百年修為，似乎還是太淺。」他揉了揉眼角，再問符：「看到被你所圍的舒城內之景象，不知你這始作俑者是何感想呢？」

「為了大業……犧牲總是難免的。」符無神地道。

「呵，又是這一套說法，那不知小霸王大人犧牲舒城一半生靈，換來了甚麼大業呢？」禰衡諷道：「啊，不過再大的大業，都隨著小霸王大人之死而崩坍就是了。」

「那只不過是他們蠢！我明明根本、根本沒打算……」符無力地道。

「甚麼理由都好，和我們說亦沒用。」左慈嘆道：「既然……你說過要將這班怨靈超盡度絕，那何不進城？」

「我不就是要進去了嗎？」符高聲道：「是你們左一句右一句才讓我佇足在此。」

話畢，三人再不發一語，沉默地走到城下。

走得越近，怨氣越濃稠，來到城下時，甚至凝成一團沉厚的牆，一旦入內，又似黏稠的液體，讓人極不痛快。

舒城城門，陽間的那道雖然敞開，但靈域的那道卻被怨氣堵得有如深鎖。

符敲了敲那無形的城門，引來城頭的士兵怨魂們探頭出來，卻不是問話，而是露出一臉猙獰，同時朝著三人發出混雜著咆哮與呻吟的難聽叫聲。

「這……是甚麼東西？」符問。

「我不是說過了嗎？他們……在作祟。」左慈答。

「他們還懂人語嗎？」

「我也不清楚，畢竟……每個人的情況都有所不同。」左慈答：「但被對他們來說有特殊意義的話語喚醒，或暫時回復理智的情況，並不罕見，你可一試。」

符清了清喉嚨，便向著城樓叫道：「在下乃無常之符，特來超度爾等，梳理輪迴！」

士兵們卻依然只是激動地胡嘶亂吼，雙手十指僵直地伸向符等，作出一副將撲下來的架勢，卻又乖乖地不越過城牆。

「瘋了，都瘋了。」符說。

十八 仇恨的形狀

「你認為他們會知道甚麼是無常嗎？」左慈閉起一眼，單目瞪向符，彷彿這樣就能讓他知道自己想說甚麼。

但偏偏符就是理解了，他嘆了口氣，然後再次高呼：「我……我乃孫策是也，快打開城門投降！」

士兵們聞言一怔，然後開始騷動，表情不再猙獰，而是既驚且恐，接著便開始逃走，須臾，城頭上已空無一人。

「要入城可真不易。」禰衡大笑道。

「不，我知道一條秘道。」符垂首道。

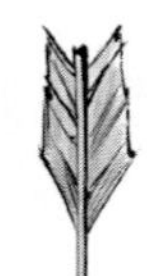

「這是……？」左慈和禰衡望著眼前的山洞，詫異地問。

符領著二人來到城東北處的林中，正是孫軍當年圍城時的主營所在。符深入茂密的叢林中，走了不多遠，便來到一處破舊的民居，民居後方，有一個被掩藏的詭秘山洞。

「這是通往城中周家大宅的秘道。」符苦笑道：「不，應該說，是用來讓周家大宅的人逃亡出城外用的秘道。」

禰衡望著秘道，思考了會，然後問左慈：「那道堵住城門的牆是由亡靈的怨念組成，那是不是只要他們不知有這通道，就不會有阻礙？」

「照理當是。」左慈答了禰衡後，便轉問符：「但……你既然知有這秘道……」

「沒錯，當年我若有心攻城，三日可陷。」符說。

山洞內的秘道通往兩個方向，一邊是舒城，另一邊則是東郊的周家村，周瑜的祖家。

「那時周家不循此道逃亡，一是深知我不會害他們，二是不想曝光這秘道。」符拐向通往舒城的秘道前，指著另一邊說道。

禰衡笑了笑：「這些土豪，真是既貪心又貪生怕死。」

「我也想不透，這麼一個家族，是如何生出這麼一個公瑾來。」符也笑了。

左慈道：「畢竟……有些風景，還是要有足夠地位才能看到，才能觸碰的。」

「那倒是，我本以為自己老家，雖不算豪門望族，但也算是小康之家，卻沒想到第一次見公瑾時，還是會目瞪口呆，對我來說千金難求的貴重情報，對他來說，卻都只是宴席聽來的閒話家常。」

「看來我們已經順利入城了。」不知不覺又來到一個分岔路，符指著左邊道：「來，走這邊，那邊是周家大宅，這邊則是通向周家別苑，也就是我少年時的住處。」

來到秘道盡頭，是一條樓梯，爬出去後，發現秘道位於偏廳一個不起眼角落的地板，還被幾重高櫃遮蔽著。

偏廳凌亂不堪，有價值的東西都不見了，明顯是被洗劫一空。三人走出偏廳，只見四周同樣一片狼藉，而園子裡亦草木凋零。

十八 仇恨的形狀

「呼，幸好我在圍城前已命人將梅樹運走，否則仲謀又要哭鼻子了。」符道。
「那個無情的傢伙也會哭？」禰衡奇道。
「他只是必須裝作無情而已。」
「無情，真的説裝就能裝嗎？」禰衡歪頭道：「像我的才氣，再怎麼裝也是藏不住。」
「這是一回事嗎？」
「是不是一回事，就要好好論辯了。」禰衡摩拳擦掌。
「我可沒時間沒心思，走吧，去找陸康了。」符小跳步地逃離禰衡，向著別宅那倒了半邊的門走去。
「你……知他在哪？」
「亡魂不是總會徘徊在生前常往之處嗎？」符答：「他的話，除了書房，就是——」
城門樓台。
這，是陸康多次振奮士卒及城民士氣之處，是他視察孫軍動向之處，是他理順思緒之處。
符爬上城樓，果見其人。
只見陸康身穿官服，倚在牆邊，一臉木然地遠眺。他不像其他符所見過的亡魂，變成更年輕的樣子，他仍是死前那副年老卻又依然倔強的模樣。
「嗯？其他人呢？都哪裡去了？怎麼讓無關人等隨意上城樓？」陸康察覺到符，於是淡然地問身邊的侍衛。
「都被打倒了。」符的背後，是一條由昏厥的亡魂所鋪成的路，由周家別苑的不遠處開始，一路延伸到他身後。

「明明說是來超度怨魂，卻弄成屍橫遍野，不愧是小霸王大人。」禰衡笑道。

符沒有理會，陸康亦沒有理會，他仍是一副漠不關心的模樣，目光甚至沒有落過在符的臉上。

「太守大人，你已經忘記晚輩的樣子了嗎？」符故意用當年孫策的語氣問道。

陸康一怔，身肢變得僵硬，他以奇怪的節奏將脖子擰過來，望看符，雙目的木然一瞬間就被瘋狂的怒火點燃，伴隨一聲刺耳的高吼，化身為一隻失控野獸，將身邊的怨氣凝聚成自己的利爪、銳牙及觸手，如怒濤般襲向符！

符卻只是如迎接親人的擁抱一般，張開雙手。

陸康一掌將符拍向城頭，威力之大竟連陽間的城頭都生出了裂痕。

符撞到牆後滑坐在地，然後吐了好大一口血般的靈氣，卻仍然不打算作出反擊。

已失去理智的陸康並不以為奇，只是繼續將怨氣匯聚到身上，化成一隻又一隻形狀怪異的腿，狠狠地踩向符。

數隻腳輪番踐踏，足足踩了好幾百下才停下來。

只見符已被踩成一團無以名狀的漿糊，卻在攻擊停下後開始回復。但每當有一手一腳回復成形，陸康就又再開始蹬踏。

蹂躪持續了整整一夜，到晨曦乍現，陸康畏懼陽光，變回人形躲入陰暗處方告結束。

不成形的符團再度蠕動、聚合、凝結，然後化回原形，先是腳，然後是腰、身、手，最後是頭。

十八 仇恨的形狀

符掙扎著坐了起身，然後抖了抖手腳，擰了擰頭，確認自己是否還是本來的形狀。

「沒想到小霸王大人有這種不平凡的喜好呢。」禰衡冷道。

「才不是。」符大口喘著氣，並道：「我只是想……讓他消消氣……方便溝通而已。」

「亡了一半族人，犧牲了大半城民，這樣的仇恨……哪有這麼容易消。」左慈道。

「我明白。」符雙手無力撐住自己，又攤了下去：「所以我打算讓他一直揍到消為止……幸好他怕陽光，讓我有時間能回復……」

「為甚麼？」左慈問。

「因為我想不到其他辦法……」符答畢，便沉沉地睡了過去。

「只懂結仇卻不懂化怨的……傻小子。」

「世人不都是這樣的嗎？」禰衡道。

「呵，你不是一直在諷刺他的嗎？」左慈不知為何笑了：「現在竟然會為他說話，真搞不懂你們是甚麼關係。」

禰衡笑了笑，然後便化成鸚鵡，到城內遊蕩去了。

倀之陸傳 十九

夜。

陸康從陰暗處走出來，卻發現符已回復，並負手背著自己，一副悠然自得的樣子。

陸康隨即怒氣暴發，再度吸取周遭的怨氣，化身不成人形的異物，這次卻是伸出一隻隻手，對著符揮出一拳又一拳。

然而，結果和踩踏並沒甚麼分別，毆了一整夜，符亦不過是暫時地變成了一團肉泥，只要攻擊稍一緩下，他就會漸漸恢復人形。

如是者數日，陸康用盡各方法，無論是拳打腳踢，或是巴掌拍扁、摔向城下、拗斷翻摺，過後，符都會變回原狀，似乎除了劇痛，就沒法再給符帶來其他傷害。

日復如是，陸康恨意不但沒消滅，反而與日俱增，當單單吸收怨氣無法再強化自己後，他就開始吞噬附近的士兵，每吸收一個，他的異變就更誇張，甚至連日出，都無法讓他變回原本的人形。

「這樣不行呢，反倒讓他變得越來越瘋狂了。」禰衡道。

「不過……倒是有趣的實驗。我都不知道原來任由怨魂發瘋，竟會變成這樣。」左慈道。

「那我該怎麼辦？」符問。

「要不試試先將城內的士兵和城民都一個個超度了？這樣他就沒法再變化了。」禰衡說。

「先不說這城內到底有多少亡魂，而且我早嘗試過了，只是不知為何超度不了他們。」符說。

「因為……他們是怨魂的倀，都被陸康給綁住了，只有先解決他，別無他法。」左慈道。

「倀？」符突然想起：「對了，陸儁！他兒子之前還找過我聊天，他現在應該也在城內，找到他的話，說不定會有甚麼情報！」

於是，三人便依循尋找陸康時的方法，去陸儁生前常往之處搜索。

郡府裡的主簿書房。

沒有。

主廳及偏廳。

也沒有。

「莫非……？」正當符準備放棄之際，卻突然想到一個地方——

酒舍。

那曾經的酒舍在舉城投降之後，已馬上被焚毀，後來更改建成廟宇，成為了當下舒城最熱鬧的地帶，同時亦是唯一沒被怨氣纏繞的地方。

十九 倀之陸儁

只見在祈福禱告的人群之外，卻有一具亡魂，不畏陽光，佇立在怨氣的邊緣，凝望著廟內的煙縷徐徐上飄。

那亡魂，正是陸儁。

符來到陸儁背後，輕聲道：「又見面了，倀之陸儁。」

「啊，無常大人，你怎麼跑來舒城了？」陸儁徐徐回頭，然後問道。

「來超度你爹。」

「你願意幫我？」

「這樣啊……」陸儁一怔，然後問道：「那，你來找我，是有需要幫忙的地方嗎？」

「我也不忍他一直徘徊不去，人都死了，就該過去了，解脫了。」陸儁苦笑道：「但我能幫甚麼呢？我對魂魄之事是一無所知，頂多是在更早些年遇過一位無常，從他那大概知道靈域亦有規矩而已。」

「哈，對啊！」符啞笑道：「我只想著要情報，卻沒想過需要甚麼情報！」

「或許，我將我等怎麼死的經歷告訴你？」

「那我都已經知道了。」

「那，或許找出那孫策向我爹叩頭？」

「我就是那孫策。」

「這樣啊……啊，孫伯符，所以叫無常之符。」陸儁笑問：「那你叩頭了沒有？」

「我已經被他蹂躪了好幾天了！」符苦笑。

「那，就是沒有叩頭了？」

「我認為痛毆仇人，比對方向自己叩頭更讓人解氣。」
「是嗎，那該如何是好？」
「令人頭痛呢。」
「你們……似乎忘了我這前于吉長了？」
「對啊！都忘記你是大人物了，那該如何應對呢？」
「按理說，你的于吉應該已教過你。」左慈捻著山羊鬍道：「而且……這些本來是只授予于吉與無常的秘藏知識，不可在外人前透露……不過，我都不再是于吉了，管他呢！」
「不怕被司命算帳嗎？」
「凡事畏首畏尾的話，我就不會踏上求仙之道了。」
「求仙之道，不就是為了長生不死嗎？感覺就是些貪生怕死之輩才會去追尋。」符道。
「長生不老只是成仙的基本，並非求仙之道的目標。」
「那求仙是為了甚麼？」
「逍遙，自在。」
「《莊子》麼？」
「呵呵，在這之上的……就真的不是能隨便透露了，待你有了踏上求仙之道的心，再向你的引路人尋問吧。」
「這麼麻煩的嗎？那說回超度的事吧。」
「你……還記得，超度怨魂的程序嗎？」
「我想想……」符沉思了好一會，卻只在記憶中找到一個模稜兩可的答案：「呃，先……給他一個擁抱？」

空氣一瞬間凝結，符以外的三人都目瞪口呆。須臾，左慈便說道：「咳咳，首先……是觀察，然後是研究其習性，再推斷對周圍的影響，接下來就視乎緩急，緩則記錄在案定期觀察，急則著手討伐。雖說是討伐，也不是直接就動武，而是先尋其心結，再行化解。無法化解的，才是武力討伐。」

「啊，我記起了。」符道：「最普遍的做法就是——傾聽他們未訴的遺言，對吧？但這還能稱得上是討伐嗎？」

左慈不答，只是欣慰地笑了笑。

陸儁舉手問道：「那如果化解不了的話，又該如何武力討伐呢？」

「若靈力夠強，直接攻擊就可讓亡魂灰飛煙滅。但如若面對不相伯仲，又或比自己更強的亡魂，就要摧毀其胎光，讓他魂飛魄散。」左慈道。

「胎光，是指三魂裡胎光、爽靈、幽精中的胎光嗎？」陸儁再度舉手。

「正是，胎光是與天地連結的魂器，定位於此時此刻，同時維繫靈魂的形狀，可說是存在的證明，所以又叫天魂。你……就當是靈魂的心臟吧。」左慈徐徐答道。

「靈魂的世界真奧妙……那，這胎光是在甚麼位置呢？」

「一般都在胸口。」左慈拍了拍胸膛。

「那，只要攻擊胸口就能使亡靈魂飛魄散了嗎？」

「不，其實……胎光是可以自主地改變大小及在靈體內游走的，所以從外部攻擊通常都無甚效果。最理想的方法，是剖開靈魂的外皮，直接攻擊胎光。」

「原來是這樣的啊……我之前都不知道這些，甚至也沒去想過，不愧是當文官的，問得真周全，那我就知道該怎麼做了。」符笑道。

陸儁回以淺笑，同時輕輕點了點頭。

「那麼，你認為你爹的心結是甚麼？」符問。

「我本以為是你，但似乎不是。」陸儁思索了一會，道：「那麼可能就是大漢，或是舒城的城民吧？」

「漢？那就麻煩了。」符苦惱地歪頭。

「舒城城民也同樣麻煩吧？」禰衡道。

「唉，始終還是要直接去問啊？」符伸展了一下四肢，然後說道：「算了，出發吧！」

正當眾人轉身離開之際，符卻隱約聽到些聲音，既似風聲，又似人語。符好奇地回頭一望，只見在廟前的人群裡，似有一具若隱若現的骷髏，他的上下顎開開合合，像在訴說著：「救救他們……」

夜。

月夜。

銀光瀉地。

城門。

符一行人再臨城門。

若果他們仍是凡人，月光會將他們步上樓梯時的影子拖得細長，但此刻梯間空餘一片皎潔。

這份寂寞，只有符一人有餘裕去感受。

禰衡為即將來臨的事而興奮，左慈仍然是一臉平靜，陸儁雖然稍稍手腳僵硬，卻被那規矩的步伐掩飾了。

陸康背對梯級，負手而立，眺望銀月，靜候眾人。

待符來到他背後，他才徐徐轉身，輕蔑地笑了笑，然後便開始吸收怨氣。

這次，卻沒再變成無以名狀的怪物，而是僅僅長出了四隻碩大的手臂，其中兩隻沒等符反應過來，已將他緊緊捉住，握在手心裡。另外兩隻手則長出尖銳的爪，直刺向符的胸膛，然後向兩邊扒開，符的胎光就此暴露出來。

「怎麼回事，為何他好像突然知道要怎麼對付亡魂？」左慈驚道。

「就算是無常，只要胎光被滅也會灰飛煙滅吧？」陸康有感大功將成，慷慨激昂地道：「是否很疑惑？為何會變成這樣呢？呵呵，我才不會告訴你，你就帶著疑問永遠消失吧！」

「等等，你真的要對自己兒子下手？」符的聲音卻從陸康背後傳出來。

「我才不會中計！」陸康卻不打算理會，用自己的雙手捏向眼前那符的胎光。

刀光閃耀。

陸康的六隻臂膀同時落地，其中兩隻直接化回怨氣消散，被剖開胸膛的符亦隨之墜地。

「嚇死了，竟然毫不猶豫就下手……你們父子不是應該有心靈感應之類的溝通手段嗎？」使出刀形斬落了陸康臂膀的符說道。

「因為我爹的心靈感應是單向的，他不願聽時，我的話語就傳達不到。」開膛符望著自己外露的胎光，問道：「所以，我是何時變成了你的樣子？我們，被你將計就計了嗎？」

纏繞身上的蜃樓化去，開膛符變回開膛陸儁。

「哎呀哎呀，要是沒有我的蜃樓，那小霸王大人該怎麼辦呢？」禰衡訕笑道。

「那再想其他法子，有能利用的東西，就要盡情利用。」符爽朗地笑道。

「我只是個東西？」禰衡不滿。

符卻沒理睬他，轉向觀察陸康。

按照符的推斷，陸康的心結並非甚麼大漢、廬江或舒城，而是更私心，更親近的，他兒子——陸儁。

「你這蠢兒子！」卻沒想到，陸康不單沒關心垂死的兒子，反而開始破口大罵：「肯定是你那蹩腳的演技累事，才讓他們識穿了，還反過來將計就計，設局對付我！」

「對不起，爹……」虛弱的陸儁有氣無力地道。

這陌生卻又熟悉的情景，點起了符的怒火，他一手揪起陸康的衣領，舉起其瘦弱的身軀。

「住口！」符道：「明明是你自己的問題，還諉過於人，看來我還是高估了你。」

陸康被罵得臉容扭曲，於是嘗試再度吸收周圍的怨氣。只見符另一隻手伸出五指，化作扇形，然後一撥，便將聚集而來的怨氣吹散。

「看見沒，我要對付你的話，你早就如這些怨氣般消散了。」符冷道：「我是諒你曾為一郡之守，亦為一時人傑，而且我亦對自己當年所作之事有所愧疚，才會對你百般讓步。但看來我錯了，你根本不值得花這麼多功夫去超度，怨氣要隨著輪迴轉移，就由它轉移吧，反正現在這世道何處不是劫難？何處不是仇恨？再添一筆又何妨。我這就讓你灰飛煙滅。」

符的手再化成劍形，瞄著陸康的胸口，準備刺下去。

「等……等等……」陸儁不顧自己的傷勢，向著符匍匐前行，敞露的胎光搖搖欲墜，似是快要跌出來。

眾人的目光集中到陸儁身上，符卻在餘光中，察覺到陸康表情的微妙變化。

符對那種表情有印象。

他曾在孫堅的臉上見過。

是他見到符或仲謀他們受了重傷時，才會展現的表情。

微妙而短促。

同時帶著種異樣的溫暖。

若不是在死後再遇上過父親，或許符就感覺不出那份溫暖。

「我找到了。」符想起廟裡的那具骷髏，悲傷地笑道：「你的、你們的心結。」

長夜將盡。

冬天的夜總是特別漫長。

遙遠的東邊泛起微光，將天際映得泛白。

「啊，你找到了？」左慈好奇又欣慰地問道：「那是甚麼？」

符沒有急著回答，而是先去扶住陸儁將要跌出來的胎光，然後小心翼翼地塞回去，並用指尖化作針形，以靈氣為線，替陸儁縫起剖開的胸膛。

「陸康，是不是暗地裡舒了一口氣？」符笑問。

「甚麼意思？你認為我著緊這沒用的蠢兒子麼？」陸康倔強地道：「少天真了，說甚麼找到我的心結，不過是你一廂情願而已！」

「那麼陸儁，我對你爹緩下了殺手，你是否鬆了一口氣？」符沒理會陸康，轉問其子。

「那是自然。」陸僞虛弱答道，陸康卻毫不領情的哼了一聲。

「真是典型的父嚴子孝，令人作嘔。」符不屑地咂嘴，然後才道：「而這，就是你們的心結。」

「別賣關子了好不好？」禰衡不滿地喝倒彩。

「你們知道嗎？在弈棋中有一種局面，稱之為『劫』，就是黑白兩子互相包圍，卻同樣地只剩一口氣，於是爭著那一目不放，形成永無休止的糾纏。」符道。

「啊啊？小霸王大人不單會吟詩，還會下棋啊？」禰衡問。

「哼哼，詩不過是偶爾讀讀，弈才是我道。」符得意地道：「弈這東西啊，和打仗很相似，只可惜我身邊的人都理解不了，連公瑾那混蛋也只沉醉在琴上，唯有呂範和嚴畯兩個傢伙夠資格和我對弈，我和呂範還留下過棋譜呢！」

「這樣啊。」禰衡對弈棋卻不太感興趣，便問：「那這甚麼劫又與這對父子有何關係呢？」

符憶想起當年在軍中一頭熱地傾訴對弈的魅力，部下卻毫不感興趣時的那份落寞。他回味地苦笑，然後才回到當下，並道：「就是說，其實陸僞並非單純地是陸康的倀，陸康同時亦被他的怨念束縛了。」

「我……束縛著父親？」陸僞不敢置信：「怎麼可能？明明我只能單方面地接收他的命令，而且我也沒理由去束縛著他呀？我最大的心願，明明就是讓父親安息。」

「除此之外，你是否還有甚麼遺憾？」符問。

「遺憾自然多的是，像沒留下孩子；還有，那年幼的續弟，都沒能看到他長大；還有舒城的政務；還有城中工事，很多都尚未完工，你就打來了，不知道接手的人能否做好；還有糧庫，空了之後有沒有好好補充……」陸儁敲手指以一件件地算起自己的遺憾，恨不得連腳趾頭都用上。

陸儁突如其來的滔滔不絕，讓符也料想不及，本已構思好的帥氣解謎節奏亦被打斷了，他只好打斷陸儁，然後道：「等等、等等，這些都不是最大的遺憾吧？你還記得我們當初在長江邊相遇時，你說過的話嗎？」

「呃……你還好嗎？在這幹甚麼呢？」陸儁回憶道。

「不，不是這句……」符無奈地道：「你說，你生前沒有好好照顧你爹，所以希望死後能好好盡孝，等他輪迴了你再走。對不？」

陸儁一怔，道：「這……生前沒有好好照顧爹，就是我的心結麼？」

「不。」符答道：「盡孝才是，而且不是以他所認為的方法，而是以你自己所想的形式去盡孝。」

「孝道就是遵從父母，哪有甚麼你你我我！」陸康插嘴罵道。

符瞪了陸康一眼，然後再轉回來對陸儁說：「雖然我不知道你心底裡對你爹有多不滿，甚或有沒有不滿，但我知道，你心中有自己的一套對錯的判斷，卻因孝道這無聊之物而無法制止和勸止你爹，最終你爹所走錯的每一著，讓半座城、半個家族都成了陪葬。」

陸儁欲語還休。

「簡言之，你的心結就是到死都沒能勸阻過你爹一次。」符說。

陸儁閉目垂首。

符見狀，便轉過來對陸康說：「然後是你，你的心結，就是被你害死的陸家族人，當然這也包括你的長子陸儁，卻因為君君臣臣父父子子那陳舊的一套，讓你堅持要擺出一副嚴父的姿態，無法老老實實地表達自己對兒子、對族人的關懷。」

陸康想反駁，卻啞口無言。

「你們就是這樣，心懷對對方的愧疚，又期盼能讓對方早自己一步解脫，卻反倒陷入了『劫』的局面。」符仰天嘆道。

「你懂我們父子甚麼！」陸康咬牙切齒地道。

「那你又懂我嗎？」符說：「你可曾想過，當年我為何對舒城只圍而不攻？」

「因為你存心想戲弄我們，看不起我們！」陸康怨氣又再大作。

「我那時也只不過是袁叔……袁術手下一名將士，寄人籬下，憑甚麼看不起你們？」符這一言，讓陸康的怨氣漸化。他續道：「我當時的圍城之舉，是為了爭取時間。」

「爭取甚麼時間？」陸儁問道。

「私下聯絡我爹舊部，同時策劃攻打江東的時間。」

「也就是說，圍舒城只是掩飾……這樣說的話，你軍的很多行動就說得通了。」陸儁回想起過去的種種不自然。

「你聽他放屁，只是他兵少攻不下我城而已。」陸康仍然一副恨意，但聲線卻不再激動。

符暨起三指，道：「你知道嗎？周家大宅可是有條秘道通往城外東北的叢林，我若真有心攻城，憑那秘道偷襲，用一日潛入城中部署，一日攻下城樓，再一日掃蕩城內餘軍，三日，只三日就能攻下舒城。」

陸康和陸儁不敢置信。

符頓了頓，再道：「只是，攻下舒城，攻下廬江，也不過是為袁術打天下而已，雖然他曾說過若我攻下舒城，就命我為廬江太守，但我早就中過他計，他就是個用人唯親的老頑固。事後他也的確背棄諾言，任命親信劉勳為太守，不過這傢伙後來可是被我好好教訓了一番，把他打跑去北方了。」

「放你狗屁！若周家真有秘道，他們為何還要冒險……從城外逃亡……」陸康說著說著亦察覺到了其中的不妥，語氣中不知何來的理直氣壯亦漸漸減退。

「我在史料中看到過，當年舒城翻新城牆時，周家不但有份出資，而且還提供了不少人手……」陸儁一邊回想，一邊自言自語般說著。

「難怪……我那時就覺得周家的餘糧數目不妥。」陸儁恍然大悟。

「周家用來換取逃亡許可所獻的糧，就是我們運入去的。」符補刀。

符深吸了一口氣，然後道：「雖然，我圍城只是為了掩人耳目，但最終卻害死了陸家和舒城這麼多人，實在、實在……」符再吸一口氣，然後徐徐鞠躬道：「抱歉。」

陸康聞言，就洩氣地跌坐在地，無力地道：「真可笑，爭天下的人，血債自是難免，若每一筆都要去道歉賠罪，還有人能成就大業嗎？何況我等既為漢臣，為保大漢天下，早將生死置諸度外，你這種心態反而是對我等漢臣的侮辱。我……竟然輸給了連這點都不懂的小毛孩，也真是夠墮落了。」

「我不是有愧於害死你們，是有愧於我沒背負你們的血債走得更遠。」符無奈地說：「我終此一生都走不出江東，恐怕亦無緣讓廬江此役記在史書上吧？縱使有，也只會是輕描淡寫的兩筆，說不定你的傳和我的傳之中還會彼此矛盾。」

陸康閉目良久，才徐徐笑道：「人都死了，還在乎史書上的分量，這點，我們很相似。」

看到父親釋懷一笑，陸儁繃緊了一輩子的面容也稍稍鬆弛了。

然後……

然後，他們身上不約而同地泛起光點，緩緩地向四方飄散。

「這……就是傳說中的超度嗎？」陸康望著自己消散著的身體，不禁長舒了一口氣，然後尷尬地問陸儁：「儁兒，我們終於能解脫了……我說，若果……假如……輪迴之後，你還願意當我的兒子嗎？」

「要不，這次換我做爹吧？」陸儁說畢，兩父子相視而笑。

彷彿呼應晨曦，整座舒城都在散發著溫和的光芒，被陸家父子所束縛著的亡魂們都隨之被一同超度，化作點點靈光，散向四方，並將融入靈流，歸於輪迴天道。

功成身退的符隨地坐下，目送陸氏父子的離去。

「對了，我還有一個疑問。」陸康忽爾問道：「那七個孫策是怎麼一回事？」

「就是我的部下，加上秘密召來的父親舊部啊。」符屈指數道：「朱治叔、程普叔、韓當叔、黃蓋叔……還有我投靠袁術時就已經跟在身邊的孫河和徐琨……」

「武功和你不相伯仲，讓我認定是你真身的是哪個？」陸康問。
「哈，除了我兄弟公瑾，還能是誰？」符自豪地笑道。
「原來周瑜那小子當時已與你結成一伙了啊……」陸康點頭道。
說著說著，一具人影從樓梯間現身，眾人望去，卻是一具骷髏，一具散發著光點的骷髏。
只有符認得這具骷髏。
「謝謝你，在廟前的提點。」符向骷髏揮手道。
「該說謝謝的，應該是我。」只見骷髏在消散的同時，身上亦長出筋和肉，最後甚至連皮膚，以至衣服都凝煉出來。他道：「謝謝你，救了我的叔父和堂弟。」
「陸駿！你剛才怎麼變成骷髏的樣子了？」陸康問。
「我死後就一直是那副模樣。」
「原來廟前那骷髏就是你啊……」陸儁嘆道：「想必你下令將自己骨肉盡分將士後，亡魂就化成了剔盡筋肉內臟的模樣吧？」
陸駿點了點頭道：「不過都過去了，我們終於能解脫了。」
說罷，三人相視而笑。
「孫策小子，你方才說我們或許無緣記於史書上，這恐怕是過慮了。」陸康笑道：「雖然我這輩子沒幹成甚麼大業，卻留下了兩個前途無限的後生，我兒陸績，還有他兒子陸議，總有一個會名留青史。」
「我也深信我那幾個兄弟會載入史冊，成傳，甚至是紀。」符道。

越來越多亡魂都走了過來，並向陸氏三人擁了上去。飛散的光點聚成光柱，向著青空緩緩騰升。

「說來，我還有一事想問。」在即將消散前，陸駿回頭問道：「我們的幕僚說你圍城的那陣法叫車輪圍城法，那陣法該如何破解？」

「甚麼鬼車輪圍城法？真是胡說八道，哈哈！我不過是在練兵操馬，所以才讓他們多跑跑而已。」

弟承兄業 二十一

吳。

陸家大宅。

吵鬧的後園。

陸家的叔伯們，又在為了雞毛蒜皮的事而爭吵著，其中幾個尚算壯年的，甚至開始互相揪起對方衣領。

陸議望著他們那醜陋的嘴臉，心中不住生出煩厭與憎恨，並漸漸醞釀成一股衝動，一股撲過去賞他們兩拳的衝動。

但奇怪地，這股醞釀中的衝動，突然清晰地消散了，就像一鍋水未經燒滾翻騰就直接化成水汽，並肉眼可見地蒸發。

驀然，連本來爭吵不斷的陸家眾人，都同時靜了下來。他們本來那張暴戾橫蠻的表情，都融化成一團呆滯。

到此刻，他們才發現之前的雙眼像蒙上了一層血紅色的薄膜，又像是纏繞不去的煙霧，直到消去，他們才回想起世界原來如此清澄。

上任陸氏當家與本來的下任當家，他們的怨氣不但束縛著舒城的亡魂，還透過血脈拘束著族中子弟。隨著陸康與陸儁被超度，那份無形的制約與仇恨亦告消散。

「姪兒，姪兒！」陸績驚訝地呼喚著陸議。

「小桔子，你也感覺到嗎？之前的結鬱，突然消失不……」陸議望向陸績，才發現小桔子所驚訝的，是另一件事。

陸績站了起來。

不靠拐杖，單靠雙腳站了起來。

不單站了起來，還一步一步地，走向陸議。

「你、你……你的腿……好了？」陸議感到難以置信，眼眶不禁泛起潮湧。

「大腿的疼痛突然就消失了！」陸績也淚流滿面。

然而，兩叔姪還未來得及感動地相擁，門外就傳來一陣急促有力的敲門聲，然後就是下人們的騷動。

陸議馬上趕去了解，發現是衛兵。

一大群的孫家衛兵。

為首者向眾人展示著一張公文，同時宣道：「太守有令，因吳城陸家有下人身患傷寒，為防向外傳染，故封宅隔離，為期一個月，其間衣食由郡府供給！」

官兵語畢，便將公文隨手塞到一名下人懷中，再放下一堆糧食，然後便用封條將陸家重重圍封。

陸議接過公文端看，道：「明明我們在吳郡，但這令卻是會稽太守發的……唉，現在這政局真亂。」

「我們家真有人感染傷寒嗎？」緩緩而至的陸績問道。

「不知道，不過這些年來傷寒已變得不得了，世叔伯們不總在我們病生時說，神醫張仲景的家人三分有二死於傷寒疫病，連神醫都對傷寒無奈可何，所以不可不防。可是我後來查過，那是他學醫前的事了，那時他也還不是神醫呀？」陸議抱怨道：「所以啊，只要用到傷寒作理由，甚至都不用派兵官來管監我們，單是那些鄰里們，怕恐一看到我們探頭而出就要來罵人了。」

「但他們配給的食物還真不錯啊，不單齊全，而且蔬果都很新鮮，酒肉都是上乘的。」陸績好奇地翻弄著孫軍留下的糧食：「哇，還有桔啊！」

「真搞不懂到底是在刁難我們，還是在討好我們。」陸議煩惱地抓了抓頭。

「但一個月啊……你們要怎麼熬呢？呵呵。」早就習慣待在家裡的陸績，邊問邊望向被緊緊關閉的陸家大門。

舒城。

亡魂被超度的光芒閃耀，與初昇的旭日相互輝映。騰升的靈氣化成一股清風，吹散盤桓舒城已久的陰霾。

陽光普照，萬里無雲。

站在城頭的符，仰望著晴空，並笑問左慈：「怎樣，前于吉長大人，我處理得如何？」

「比想像中好，卻又比想像中亂來。」左慈答道：「只是……如果你沒遇到那骷髏，又該怎麼收場呢？」

「呃……船到橋頭自然直嘛。」

「我倒想很看看，你一臉自信地行動，結果卻解不開他們心結的樣子。」禰衡一臉惋惜。

符尷尬地收斂笑容，高仰的頭顱亦徐徐垂下。

「不過就算已超度了他們，其實我也還弄不清楚他們實際的心結到底是甚麼，父子情嗎？」禰衡再問。

「不，所謂心結就是這樣模糊的東西，不是單一的甚麼，而是一個範圍，雖然有點難以觸摸，但只要碰及，就能引起漣漪。」左慈捻著鬍道：「不過……我本來是猜陸康的心結在於其子膝下無兒的。」

「為何會這麼想？」符問。

「畢竟他都七十了，陸儁亦快五十，加上他還有個才五、六歲的幼子，很明顯就是怕絕後吧？」左慈得意笑道：「你們都沒發現的嗎？」

「明明是半仙，卻仍留著這些陳舊老人思維……」禰衡不屑地道。

「真複雜呢。」符嘆道。

「畢竟是人心。」左慈無視禰衡，問符道：「那你自己又怎麼看，你在舒城所作的孽總算告一段落，是否放下了心頭大石？」

二十一 弟承兄業

「圍舒城是我功業的開始，同樣，也是我罪孽的開端而已。」符答畢，目光飄向了遠方。

「那接下來去哪呢？」禰衡不讓二人沉醉於感嘆的氣氛，問道。

「我想去皖城看看。」符說。

「那……看來是分別的時候了。」左慈道。

「這就要走了嗎？」符淡然笑道：「不想再看看我如何履行無常之責了？」

「呵，我已急不及待踏上求仙之道了。」左慈笑說。

「那，有緣再見了？」符作揖道別。

「好，那就告辭……」左慈頓了頓，再道：「對了，難得有緣相會，亦因為你們，我才下定決心辭去于吉長，作為謝禮，臨別前就讓我教你們那東西吧。」

「那東西？」符疑惑地歪頭，禰衡卻馬上理解，毫不掩飾地綻放出期待的目光。

「就是之前沒向你詳述的那東西……」左慈道：「術。」

陸家大宅。

由於禁令緣故，陸家上下都百無聊賴地待在家。

陸議攤臥在後園的樹上，呆望著天空，明明昏昏欲睡，卻怎麼也睡不著。

「真想沒到，呆在家裡竟會這麼難受。」陸議喃喃自語道。

「明明姪兒你除了吃就是睡，還有甚麼資格說難受呢？」陸績亦正在園子裡散步鍛煉雙腳。

「就是除了吃和睡外，沒別的能事做，這才最難受。」

「那就去看看書呀？」

「家裡有的書我都過看了，而且比起書，我覺得出去走走看看不同的人、不同的景色、不同的事物要更有用也更有趣。」陸議垂頭喪氣地道：「我好想出去走走，吹吹沒被牆壁擋住的風啊……」

「那要不要就真的出去走走啊？」

「怎麼去？之前廚子小謝想逃回家，左腳踏剛出後門，右腳都仍在陸家，就已經被鄰居發現，大聲呼叫官差來抓人了。」

「姪兒，你知道嗎？」陸績突然正色道：「這大宅裡，可是存在一些只有當家和某幾個叔伯才掌握的秘密。」

「是、是甚麼？」

「這本來不可輕易告訴別人的，何況你輩分還不高。不過嘛，看在你這麼難受份上，就偷偷告訴你吧。但有個條件，就是要替我分擔一下管帳的工作，如何？」陸績收起正經的表情，露出一臉狡黠。

「呃……好吧！」陸議雖知有詐，但還是敵不過秘密的引誘。

於是，陸績便將陸家秘道之事，告知了陸議。陸議帶著驚訝，循著秘道走出了吳城，來到城外一處幽森的密林。

陸議興奮地跑跳著，卻又露出後悔的神情，然後喃喃道：「早知這道秘通到這麼遠，就帶上釣竿了，唉！」

說罷，陸議便鑽回秘道當中。

二十一 弟承兄業

全然沒發現在他附近的樹上有一個輕裝的士兵。

更沒發現，那士兵將一切都看在眼裡。

皖城。

廬江現今的郡治，一座背山面江之城。

一個宜居不宜守之城。

符和禰衡騎著翊，從舒城向西南方奔馳，不出半日，已能遙望皖城。

其實，以翊的腳程，只要稍稍加把勁，直達皖城亦沒問題。只是，他們在距皖城不遠處，察覺到異象，所以停下虎步，佇足觀察。

皖城正泛起陣陣光芒，那光卻不像早前舒城的柔和黃光，而是腥紅血光，那是靈魂離開軀體，也就是死亡時方會產生的靈光。

「正好撞上叔弼他們來打李術嗎？」符興奮地道：「快去瞧瞧，他們總說叔弼有我的風範，我都還沒親眼見識過。」

然而，越接近皖城，符的心就越不安，因為血光一直不住閃爍，而且周圍不見兵馬，皖城大門亦已敞開。

「這數量、這速度，還有這周遭的情況，這可不像戰鬥啊……」符喃喃自語。

「更像是在屠城呢。」禰衡冷笑道。

符緊繃著臉，並著翊加緊腳步。不一會，一行人已來到城裡，城內人煙稀少，直至來到郡府前，才看到人群聚集。

但與其説是聚集，不如説是被押送至此。數百人被綁起雙手，跪倒在地，被全副武裝的孫軍包圍，他們看上去布衣麻服，而且都是老弱婦孺，比起戰俘，更像是平民。在前方，有一個臨時的刑場，那些平民一排一排地被推上去，然後孫軍的劊子手，手起刀落，又一陣陣的血光沖天。

只見刑場的上位處，坐著了兩人，正是這次的領兵者，孫河以及徐琨。他們卻沒有一軍之將的鎮定與威嚴，反倒神色不安地與身旁的部將説著話。

那部將，正是叔弼。

孫河道：「真有必要這麼做嗎？」

徐琨道：「他們都只是老弱婦孺啊……」

叔弼冷道：「堂兄、表哥，你們是不是已忘記山越的婦孺是甚麼樣子了？」

此言一出，讓二人都啞口無言。

「而且二哥，不，少主有令，要清空皖城，願走的，不論士兵還是平民，我們都帶回江東，不願走的，除了殺，還有何法？」叔弼道：「還是説，你們要像孫暠和孫輔那兩個逆賊般抗命嗎？」

二人聞言，噤若寒蟬，不再制止，卻又不忍心看著手下屠殺平民，只好別過臉去。

「我到這刻才察覺到，你二弟派這兩個親戚領兵的用意呢……」禰衡嘆道：「真是深謀遠慮的老狐狸啊。」

「在這種非常時期，要讓在外之將忠於自己，除了信任外，自然也是需要些手段。」符黯然道：「只是……」

「大人……我下不了手啊！」一名年輕的臨時劊子手，在面對一名老婦時，終於忍不住崩潰，跪倒在地，痛哭著喊道。

周圍的孫軍見狀，心都軟了下來，一把把高懸的屠刀都垂下了。

叔弼那急促有力的腳步，卻踏散了逐漸醞釀的憐憫，他大步流星地走到那劊子手的面前，奪過其刀，然後舉向老婦。

「我的刀，我的武藝，難道是用來欺負老太婆的嗎？」連叔弼亦不禁撫心自問，他緊緊地咬著自己的唇，血不住流出。

叔弼頓了頓，然後深吸一口氣，再喃喃自語道：「為了群山丘陵。」

老婦聞言，雙目發光，抬頭望向叔弼問道：「你、你是盛……」

一聽見盛字，叔弼的猶豫和仁慈便煙消雲散，他手起刀落，快得老婦無法把話説完。只見老婦頭顱向前滾了滾，停的時候，那怨恨的雙眼正好對著叔弼，還對他翻起舌根，狀似咒罵。然後，一塊黑色的、小石頭般的吊飾，從老婦斷項上跌出。

「果然藏在皖城的平民中。」叔弼撿起那吊飾，神情變得更為冷峻，然後將吊飾狠狠地丟向一邊。他將屠刀塞回劊子手懷中，並以寒如霜雪的語氣低聲道：「繼續，一個都別放過，否則下一個就是你！」

劊子手無奈地再度握過屠刀，然後高舉，揮下，不知要重複多少多少遍，才能讓這皖城變作空城。

「果然有其兄長之風呢。」禰衡淡淡地道：「不知這皖城的平民，又是哪一份大業的基石？」

符不語，只默默地看著每一個平民的生命消逝。

陸家大宅。

無所事事的陸議再次帶上釣竿，循秘道外遊。

這秘道不但又長又窄，還潮濕，而且亦不太通風，滿滿霉爛的味道，再過十日，待一月之期屆滿後，相信除了逃亡外，也不會再用上了。只是，在當下，這條秘道即使再令人不快，比起被困在家還是好上太多。

只是，那當下已經不復在。

陸議察覺到秘道的盡頭有人的氣息。

到底是誰？

陸議並不想知道，他只知道秘道被發現，陸家將惹上大麻煩，因為這條秘道，是透過出資及提供人力修葺城牆時私自建造，若被外人發現，輕則敲詐，重則報官，若遇上耿直的官，甚至有抄家的危機。

於是陸議便抱著多一事不如少一事的心態，放輕腳步，慢慢地回頭，之後再想方法把秘道封了。

只是，來者明顯有備而來。

「怎麼這就回去了？難得我來找你釣魚。」秘道盡頭的人問道。

陸議不禁冷汗狂飆，不單因為那人已發現他，還因為那把聲音他曾聽過。

是在那個冬天被陸家下人踢出門外的紫髮少年。

陸議亦早就知道那少年的身分。

孫權，字仲謀，當今孫軍少主，掌握整個江東的軍閥。

陸議知已無法躲避，陸家已肉隨砧板上，他只好壯起膽子，去面對命運。

秘道出口有兩人，一個是仲謀，另一個則是魯肅。

「呼，終於等到你了。」仲謀對魯肅笑道：「子敬，你真是料事如神！」

「不過是恰巧認識的朋友，知道那些城中望族，尤其是曾出資修城的大家族，都有私設秘道的陋習，所以才賭這一把，何況能準確找到秘道，亦是多得少主廣布線眼而已。」魯肅道。

「你們想怎樣？」陸議問。

「陸家是興是亡，只看你一言。」孫權徐徐説道。

「沒想到你和你兄長都是一個樣。」

「一切都是為了吳。」

「為了吳？吳郡？吳城？」陸議不屑道。

「吳國。」仲謀道。

陸議怔住了。

「來，到我帳下吧，陸議。」

陸議緩了緩，緊握著拳頭道：「我曾向家人起誓，若臣服孫氏，就易名為遜。」

仲謀不語，只是凝視著陸議，陸議亦不躲避，二人四目交投，就如一場不見兵刃的對抗。

須臾，陸議閉目嘆道：「以後，就叫我陸遜吧。」

了。

仲謀笑了，魯肅笑了，禰衡笑了，遠在陸家大宅的陸績亦似乎感應到些甚麼，也笑了。

陸遜笑不出來。

符亦笑不出來。

禰衡道：「真沒想到，陪你重遊舊地，卻剛好看到齣好戲呢。」

符和禰衡離開皖城後，便向著吳城進發，在途經城郊密林時，符突然想回味一下剛死當時離開吳城的路線，便繞入了密林，卻沒想到恰巧遇上眼前的情景。

禰衡笑道：「三弟如是，二弟亦如是，舊恨剛去，又添新仇，你們孫家的血脈真不得了。」

「走吧，戲都完了。」

「到了吳城之後又怎麼辦？繼續守護你的家人？還是重操故業，做回無常呢？」

「都不是，繼續當初回吳時要做的事。」

「呵，你之前不是還一副憶起親情，就不想再深究的好哥哥模樣嗎？」

「我果然還是想知道，那人害我的理由。」符冷冷地道：「我想知道，他是背負著甚麼才對我下殺手。」

為權力？為仇恨？為理念？為仁義？還是為大願？

為政大願 二十二

晨。

晨光如常，灑落在孫家大宅上，為青瓦添上一陣炫目的湛藍。

仲謀難得地來到後園，卻只有他孤身一人晨練。

吳夫人因為弟弟吳景病重的關係，去了丹楊探病。叔弼則正隨軍歸來，因為帶著三萬皖城降卒及百姓，所以行軍緩慢。季佐則如常地躲房中，至於小尚香自然是仍未睡醒。

仲謀練著練著，不禁望住園中梅樹發起呆來。

「真讓人懷念，已經很久沒見過少主發呆的樣子了。」聲音從走廊傳來。

單是聽到其聲音，已令仲謀不快，但即使再不快，他仍是要稱呼對方一聲：「老師，你回來了。」

那人正是張紘，孫堅少年時代以來的摯友，曾立誓一同建功立業，並成為了孫堅四個兒子的老師。

同時，亦是伯符第二痛恨，仲謀最為痛恨之人。

張紘點了點頭，然後說道：「曹操那邊已經擺平了，他答應暫時不打江東主意。其族弟之女與季佐的婚事亦談攏了，還讓他批准了少主以吳為治所，可以名正言順地以吳為本據地了。」

仲謀雖然痛恨張紘，對他的能力卻相當信服，所以才會選擇讓他出使許都，但他所獲得的成果，還是讓仲謀大出所望，他不禁問道：「老師你是怎麼說服他的？」

「出使外交，唯誠而已。」張紘道：「就只是將我江東實情及天下大勢向曹操直陳一番，畢竟他防的亦只是伯符，而非少主。再加上少主之前的處事，曹操早安排細作打探，但畢竟只知曾經的陽羨縣長，而不知當今的少主。不過他也出了兩個條件。」

「是甚麼？」

「一，是獻上黃祖人頭；二，是將周瑜投閒置散。」

「殺黃祖雖然會削弱劉表，令曹操坐享其成，但他畢竟是我殺父仇人，就算曹操不使這驅虎逐狼之計，我也會去收拾黃祖。但另一個條件……瑜兄可是我軍棟樑啊？」

「用你安插叔弼入孫河軍中那一招不就行了？」

仲謀嘆了口氣，然後作揖道：「學生受教了。」

張紘笑了笑，道：「好了，時候不早，少主也差不多要去郡府上班了。」

「好的，我這就起行。」仲謀小心翼翼地問道：「對了，今日我找了瑜兄和兩位新幕僚一同商議政事，老師一起去嗎？」

「不了，剛回來有點累，我帶了些土產給季佐和小尚香，交給他們後，我就回家休息。」

仲謀鞠躬告別後，張紘仍佇立原地，確認仲謀離開後，隨手將小尚香那份土產放在其房門後，便走向季佐的房間。

仲謀策馬來到陸府，只見陸遜身穿官服，惴惴不安地佇在門外靜候。

仲謀沒有説話，只是朝陸遜揚了揚下巴，指向身後侍衛領著的一匹無人騎乘的馬。

陸遜會意，便走了過去，卻因為穿不慣寬大的官服，幾經努力都上不了馬，最終要由侍衛撐扶，才勉強坐好。

「看來你要先好好練練騎術呢。」仲謀笑道。

「咦？但我的職官不是東曹令史嗎？不那是文官來的麼？」陸遜問。

「看來説話也要好好練練。明明之前還説得頗好，現在怎麼又變回舌頭打結的樣子呢？」

「啊，聽我當家説，我是在認張和緊真時，説話才會利流。」

「那你現在是很不認真了？」

「不，只是沒有路退，張緊也無事於濟了而已。」

「嘿，惶惶不安成不了大事，這樣説不定更好。」仲謀道：「至於練馬那回事，戰亂時代，就算是文官也該練練，先不説隨軍上陣，就是別人打來，也起碼能逃跑。」

「領命。」陸遜點頭道。

不一會，二人已來到郡府。

仲謀先是帶陸遜繞了郡府一圈，熟悉辦公環境，然後再領他入書房。只有在讀書以及商議機密時，仲謀才會用到書房，一般會議以及批閱公文，仲謀都會在偏廳，以方便手下隨時找著他，至於大廳，則是留在各種祭祀、儀式、接待來使以及宴會時才會用到。

書房內已有兩人，公瑾和魯肅。魯肅在泡茶，而公瑾則審視著仲謀的書櫃。

仲謀知道公瑾在做甚麼，便主動答道：「我在讀《三史》，至於《六韜》和《孫子》則借給呂蒙和蔣欽了。」

「他們甚麼時候才要開始看《左傳》和《三史》？單看兵書可擔不了大任。」公瑾皺眉道。

「畢竟兩位將軍才剛開始學讀書，就讓他們循序漸進嘛。」魯肅搭嘴道：「說起來，這位就是陸家的公子嗎？」

「在下陸議……不，陸遜，字伯言，請多多關照！」陸遜作揖道。

「少主是單純介紹他給我們認識，還是要讓這麼個新人一同來談機密？」公瑾審視著陸遜。

「陸家把柄在手，他無法背叛的，而且我也想安插一個明瞭局勢的人在下層為我把關。」仲謀坐到榻上，接過魯肅奉上的茶後答道。

「看來少主對你期望很高呢。」魯肅笑道，同時遞茶給公瑾，然後才再遞給陸遜：「這叫茶，據聞是某位南陽閒人發現後再悉心培植的，入口雖然苦，卻帶著回甘，而且還能提神，你嚐嚐。」

陸遜呷了一口，然後道：「啊，這東西我喝過，在山越商人處買的，不過這比那些好喝多了。」

公瑾哼了一聲然後亦來到榻上坐著，然後望著陸遜，拍了拍榻，示意陸遜坐下。

魯肅道：「不愧是江東望族，這樣就能補上我們之前的盲點。」

陸遜這才明白自己不小心洩露了陸家與山越來往的情報，無論是統治著江東的孫家，還是隔了長江的望族周家，都只知山越有山賊、有土豪、有落難貴族，從未聽聞過山越商人。

「不過警戒不足，還需要好好鍛煉。」公瑾道：「少主，開始會議吧。」

仲謀於上位正坐後，吸了一口氣，正準備發言，就被門外來人打斷。

「好香的味道啊，少主在吃早餐嗎？可以分我一口嗎？」來人正是呂蒙，他闖入後才見到房內已坐了四人，其中還包括他既尊敬又畏懼的公瑾，於是他尷尬地揮了揮手上的《六韜》，解釋道：「呃……我是來還書的，抱歉打擾你們，我先走了。」

「既然來了，就坐下一起聽，這對你也有幫助，況且你有最前線的經驗，說不定也能彌補我們的盲點。」公瑾指了指榻上的空位道。

「嗚……知道了。」呂蒙放棄反抗，放好書後便垂頭坐下。坐好後，魯肅便遞上一杯茶，他呷了呷，又笑出來了：「啊，那香味就是這東西呀？不錯呢。被它引來這虎穴，也算是不枉。」

只聽噗哧一聲，陸遜忍不住笑了出來。魯肅和仲謀見狀也跟著笑了。公瑾無奈地搖了搖頭，卻無法掩飾他那微微揚起的嘴角。

笑過後，仲謀拍了拍手，然後說道：「好了，該說正事了，這次找你們過來，是想談談當下江東局勢。」

「啊？那為何不找張昭，還有本期紅人諸葛先生呢？」公瑾問道。

「雖說比預期中多了子明，但從這陣容瑜兄你也猜到了吧？我要談的不是政事，而是軍事，所以沒找他們。」仲謀說道。

「而且還是關於山越的，對不？」公瑾道：「否則陸家公子就沒有參加的理由了。」

「沒錯。」仲謀拍了拍陸遜的背，續道：「之前張公曾言我軍有五方亂事，分別是孫輔孫暠為首的勢力內部之亂、江東望族煽動的地方之亂、劉磐在南方的侵擾、李術聯湖賊引曹操的外亂，以及一直平息不了的山越之亂。」

「內亂已透過貶孫暠流孫輔平定，同時亦讓同為孫家宗族的孫河和徐琨立戰功而穩住了軍心，現在可說是已熬過了伯符逝世的動蕩。」公瑾黯然道。

「至於江東望族方面，少主本已得顧家和朱家襄助，現在我陸家亦投誠了，相信其餘大家族都會重新審視，放下仇恨，轉為與少主合作。」陸遜流利地道。

「南方方面，太史慈將軍成功壓制住對方那名叫黃忠的大將，劉磐的其餘人馬都無法對我們造成太大傷害。」魯肅說道。

「啊，要一人說一亂嗎？呃……等等，我沒準備啊……」眾人視線突然放到呂蒙身上，讓他不知所措手忙腳亂了起來，其實大家都沒預期這個臨時闖入的武夫能跟上話題，只是坐序上剛好輪到他的方向，所以才恰巧讓眾人目光同時放到他身上，只是誰都沒想到，呂蒙深思了一會後，竟答道：「李術那邊，我記得伯符大哥當年說過，曾留過一道讓他無法招來大亂的伏筆的……對了，好像是曾借其手殺了曹操立的揚州刺史，所以曹操不會輕信他，即使他作反，也不會有援軍。」

仲謀笑了，公瑾欣慰地點了點頭，然後接著其話道：「沒錯，所以孫河他們才能輕易平定。只是，我想不明白，少主為何要屠城？」

「我沒下過屠城的命令。」仲謀道：「是叔弼自把自為，我明明只說了要將皖城上下遷入江東，盡量讓皖城變空城，沒說過要對平民下殺手。對了，嫂子和家人沒事吧？她好像剛好回娘家了？」

「我及早通知了小喬，所以我軍未到城下，她和岳父已逃出城外，不必在被圍城時捱餓，亦免於被李術發現並抓去當人質。」公瑾道。

「那屠城難道只是普通的誤解嗎？還是……」魯肅思量道。

「不知道，只是為免節外生枝，恰好舅舅吳景又病重，我決定派叔弼去丹楊暫代其太守之位。」仲謀說。

「丹楊？你確定？」公瑾問。

「反正他喜歡打，就讓他去丹楊和那裡的山越打個夠，既了卻他小時候的仇，又能分散山越注意，好方便我們接下來的行動。」仲謀道。

公瑾不語，只是默默地喝了口茶，然後沉思。

魯肅見狀，便道：「那張公所言的五亂，當下就只餘下山越了。」

「但你們也知道，山越是平定不了的吧？打一打，只能壓一時，過不久他們就會東山再起。」陸遜道。

「所以，這次我不打算只是去打一打，而是要傾盡全力，一網打盡！」仲謀握拳道，然後又沉了下來，說：「可是，在這種需要全面投入的時刻，曹操卻要我自斷一臂。」

「是我吧？」公瑾冷笑道：「曹操聽從張紘那傢伙遊說的條件。」

「沒錯。」

「那不打緊，就讓我隨便用軍中某個誰的名義去參戰不就行了？我不介意把軍功送人。」公瑾道。

「用誰的名義我已想好，不過卻有兩個想法，一，是瑜兄你直接用其名義參與征伐山越一戰；二，是你代那人鎮守其駐處，然後讓他能騰出手來打山越。瑜兄意下如何？」仲謀問。

「子義嗎？能會一會那黃忠也是有趣……不過，當前要務還是先討伐山越。」公瑾答道：「不，攻山越可不能大意，寧可讓那黃忠在南方吃吃甜頭，也不能缺了子義。我和他都要參與這一戰。」

「那……該用誰的名義？」

「不，不用冒名，就讓我匿名當其中一路領軍的幕僚就行了。」公瑾想了想，道：「就呂範吧，我和他相熟，容易協調。」

「那麼此役領軍的人馬就敲定呂範了，然後是太史慈。」魯肅取出紙筆記錄。

「打山越不能不用山越，賀齊自然不能缺少。」公瑾道。

「我、我、我！」呂蒙興奮地舉手叫嚷：「我也要出戰！」

「如果讓你也領一軍的話，那三老恐怕也坐不住呢。」仲謀說。

「三老是指……？」陸遜問道。

「就是指程普、韓當和黃蓋三位從先先主時代起已效力孫家的三代元勳，他們不單資歷深，而且勇武過人！」呂蒙解釋完才感到疑惑：「對了，你是誰？怎麼好像沒見過你？」

公瑾不理會在一旁互相自我介紹的呂蒙和陸遜，道：「由我在背後代為領軍的呂範、程普、韓當、黃蓋、太史慈、賀齊，再加上呂蒙這小子，這就是我軍當下最強的陣容了。」

「人選定了，但該如何用兵？」仲謀問。

「眼下勢力最龐大的幾支山越分別在平東、樂安及鄱陽，受山越侵略的郡縣則是遍布江東。」魯肅攤開地圖説道：「山越一直的問題都是分布太廣，山林太多，難以一網打盡，所以我提議使計煽動平東、樂安及鄱陽三地作亂，讓他們聚集到一起後再攻之。」

「妙。」公瑾道：「那只要判明哪一地的山越兵馬最多，就由我和呂範率一路軍隊去討伐，另外兩地就分別交給程普軍和賀齊軍。」

「那，恐防他們見勢色不對，不戰而退，不妨再派一路軍隊分頭迎擊？」陸遜提議道。

「好。」公瑾道：「正好太史慈軍在南方，可從主力部隊的相反方向進軍，恰巧可以形成包圍之勢。」

「不過山越狡猾，而且並非一體，説不定在我們攻打那幾支大山越時，其餘小山越會趁機跑出來到處作亂。」呂蒙擔憂地道。

「你沒發覺剛才只點到四支部隊嗎？」公瑾握拳道：「黃蓋、韓當和你，就負責埋伏在那些小山越常作亂的郡縣，無論大小，都將他們一戰成擒！」

仲謀不禁屏住了呼吸，他實在沒想到，單單一次會議，竟已將討伐山越的戰略籌劃得如此完備，而且還是僅靠眼前這四人。仲謀按捺不住心馳神往，有這四人襄助，他的大願必成。

「那麼接下來的行軍路線、物資軍備的商議，就待之後召集文官們時，讓他們負責吧。」仲謀緩緩吐了口氣，才說道。

公瑾將其餘四人都招過來，然後搭著他們的肩膀，讓眾人圍成一圈，然後輕聲說道：「少主最好按不同部隊召集不同文臣去商議，除了在座各位外，就別讓其他人知道這役的完整布局，以免軍情外洩。」

「相信這也是少主這次只找上公瑾、伯言和我來商議的原因吧？知道大局的人越少，就越能保密。」魯肅笑道。

「沒錯，只是我沒想到，再算上亂闖而入的子明，單憑你們四人，已能策劃出如此完備的戰略。」仲謀嘆道。

「是五人。」公瑾冷冷地補充道。

公瑾語氣雖冷，卻讓他臂彎內的四人都感到一股暖意，甚至是一陣熱血。

「本來，失去伯符令我以為我的大願已經崩塌，更讓我變得暴躁和苛刻。」公瑾揉了揉嘴角，然後笑道：「但此刻，我才明白還有你們在，我和伯符的大願尚未終結！」

「天下嗎？」仲謀道。

公瑾不語，只是笑著，用力地揉了揉仲謀的肩膀。

公瑾的心再度熾熱，仲謀的卻冷下來了。

「說起來，我們的布局都是戰事上的，應該還有其他地方需要留意吧？」魯肅道。

「你是擔心我軍中的山越人？」公瑾道。

「這就難辦了，畢竟所謂山越，可是包含了百越、土豪、山賊、流亡的軍隊等等，所以即使同為山越，其觀念也可以很不同，若要完全排除山越人，恐怕要費很大的功夫。」陸遜道。

「不，子敬指的不是軍中，而是同在江東，卻非屬我軍，又掌握著權力的人。」仲謀用手指不安地敲案道：「我本來亦相當顧忌他，但當曹操將吳城劃為我的治所後，就對他鬆懈了下來。」

「盛憲嗎？」公瑾道：「那就除掉他吧。」

「可是盛憲不但在山越，在江東亦頗具名聲……」陸遜道。

「又有權，又有名，而且還上通曹操，下通山越。」呂蒙苦著臉道：「我現在才發現他這麼可怕啊！」

「若顧忌其名聲，就先軟禁他在吳，待我軍平定山越後，再處置他也不遲。」公瑾想了想，又道：「又或者，用他的死訊來當出兵暗號。」

仲謀點了點頭，公瑾便續道：「既然已決定要排除盛憲，獄中那傢伙，是否也要解決掉？」

「祖郎嗎？」仲謀疑慮道：「但畢竟還沒有切實的證據。」

「他的箭法就是證據！」公瑾拍案道。

「單用箭法來推斷，那賀齊豈不也有嫌疑？」仲謀道：「瑜兄，放心，我還在繼續調查，真確定他就是兇手，必定殺無赦！」

「哼！」公瑾不滿過後，便示意眾人繼續，開始商議討伐山越的人手安排及各種細節。全都談妥之後，已是夜深，呂蒙在半路已經被程普捉去練兵，公瑾也在會議結束後就馬上離開，書房中只餘下整理書櫃的仲謀，幫忙的魯肅，以及被仲謀強留下來，已累得不似人形的陸遜。

仲謀確認公瑾離開郡府後，便對留下的二人說道：「可知我留下兩位有何目的？」

陸遜昏昏欲睡地搖了搖頭。

魯肅則淡然答道：「少主不介意屬下與公瑾過從甚密嗎？」

仲謀道：「既然瑜兄是將你引薦給我，而非作為自己的幕僚，那就代表你是我的人，對不對？」

魯肅道：「當然。」

「那不就行了？」仲謀道：「本來，在政務上，我有著不少可信又可靠的部下，但在軍事上，卻一直欠奉，直到你們及子明的出現。所以，當江東局勢已到收官之際，我想先和你們談談我的大願。」

「少主的大願？」魯肅好奇地問：「是有別於先主及公瑾的大願嗎？」

「沒錯。」

「啊？少主大願竟不在天下，那是甚麼呢？」

「天下之外。」沒待仲謀答覆，陸遜已先一步說了出來。

仲謀笑了，滿意地笑了。

陸遜笑了，愕然地笑了。

魯肅也笑了，驚喜地笑了。

成婚之日 二十三

斜陽夕照。

將吳城染成一片朱紅。

城內上下似乎都受到夕陽渲染，奏樂爆竹聲不絕，處處洋溢著喜慶。

吳城城頭。

仲謀倚著城牆眺望遠方。

「真搞不懂，為何竹子燒起來會啪啦劈哩地響，而且還會開爆。」陸遜在仲謀身旁，卻仍專注地研究剛才在地上撿起的，燒過的爆竹，深思道：「如果在裡面塞些劇加火勢的東西……」

仲謀看不過眼，問道：「明明是這麼歡鬧的日子，你卻埋首在甚麼鬼爆竹上，真不識趣。你是不是還未娶妻？」

「呃……」陸遜頓了頓，才黯然道：「畢竟那……族長們都堅持搞婚禮就一定要搞得盛大奢華，要對得起陸家的名號，可是之前家中錢庫空空如也，根本應付不了婚禮的開支……」

仲謀一怔，然後捻了捻下巴，道：「那要不，我們兩家聯姻？我大哥正好有個未嫁的閨女。」

「先主不是娶妻沒多久就……了嗎？」陸遜疑惑：「我怎麼聽聞他只有一個兒子。」

「那是正妻所生的嫡子。」仲謀道：「我們這些馬背上建功業的家族，在上陣前都會被要求先留種的，那即使不幸早夭，也有人繼後香火，若是女兒，亦可作聯姻之用。」

「啊，那少主你膝下已經有多少兒孫了？」

「多事。」仲謀突然黯然道：「只是，這些庶出的孩子命運就不如我們。而且，女兒還好，男的，說不定日後就成為障礙了。」

陸遜無言以對，只好一同遠眺夕陽。

「真是的，這麼喜慶的日子，你們板著臉幹甚麼？」魯肅提著壺酒，滿臉通紅，不知是被酒醉紅的，還是被夕陽染紅的。

「也是呢。說起來，吳城已經很久沒這麼熱鬧過了，讓我想起當年大哥的婚禮，親迎時我還陪在他左右。」仲謀道：「但現在三弟成婚，我卻只能在這呆等。」

「畢竟身分不同了。」魯肅灌了口酒，又道：「何況你們孫家的親迎如此特別，誰放心讓少主一起去啊？」

二十三 成婚之日

「就是，我都沒見過親迎的伍隊全都是騎兵，都搞不懂到底是去迎娶，還是去劫新娘？」陸遜疑惑地道：「而且還要先繞城一周。」

「這是我們孫家的傳統。」仲謀意味深長地笑了笑：「這是第三次，可算是傳統了。」

「安排繞城，是為了讓吳城普天同慶，同時加深他們對我軍的親切感。」魯肅搖了搖酒壺道：「而且今晚還會向全城派酒，這樣的少主，誰會不愛！」

「這是今晚要派的酒嗎？」陸遜驚道：「你怎麼私自拿來喝了？」

「嘻嘻，不試怎知酒好？」魯肅笑著打了個嗝：「酒不好，派出去就沒效果，還反過來害了少主的名聲呢！」

「嗚，真想不到魯先生喝醉後竟是這副模樣……」陸遜邊說邊閃躲著魯肅吐出的酒氣。

「子敬也是為了讓士卒部下們能盡情享受喜慶才喝得這麼放肆。」仲謀道：「如果我們這些在上位的人都板著臉裝正經，他們還如何投入？」

「原來魯先生還有這考量啊……」

「放心吧。」魯肅挨著牆，眺向遠方，正色道：「我喝再醉，都不會誤事的。」

魯肅所眺的遠方，揚起了一陣陣沙塵。

「看來新娘新郎回城啦！」魯肅興奮地道。

只見揚起沙塵者，是一隊約五十人的騎兵隊，為首者身穿紅黑禮服，懷中抱著的少女，亦身穿著同樣的服式，連所騎的馬，亦繫上紅黑飾布，額前頂著一個小紅花球。二人正是新郎叔弼及新娘徐翌。而身後緊隨的三人，分別為邊鴻、孫高、傅嬰，是叔弼的家將，亦是最親近的戰友。

「哈，竟然就這樣抱著新娘子，真有大哥風範！」仲謀不知何時、何處掏出了壺酒，也喝了起來。

叔弼將新娘接到孫家大宅後，便按周禮先拜天地，再拜祖先，從堂上一個個陌生的名字，到爺爺孫鍾、父親孫堅以及兄長孫策。明明只是世俗禮儀，叔弼卻不自覺流起淚來。

「好啦，大喜之日哭甚麼哭？你當自己是新娘嗎？」吳夫人強忍淚水，狠狠地拍了拍叔弼的背，然後再推他向東房，道：「快，去洞房吧！娘餓了，讓小伙們來鬧新房，我和大伙們喝酒去！」

「餓了是喝酒的嗎？」被推搡著的叔弼笑道。聞言，連徐翌亦笑了出來。

一對新人被前擁後簇地送入洞房後，酒宴亦隨之開始。由於招待客人眾多，孫宅亦容納不盡，便敞開了大門，在宅前大排筵席。

筵席上，人聲歌聲碰杯聲響徹天際，卻不免予人吵鬧之感，直至一聲琴音響起，竟讓吵雜聲都頓了下來，來賓們四顧尋覓琴音來源。果然，是周郎獻曲。

只見公瑾擺舞著雙手十指，在琴上時而游走，時而疾馳，琴樂此起彼落，如江如水，本只沾濕雙腳，卻在不知不覺間，漫沒了全身。

二十三 成婚之日

眾人都陶醉在周郎的樂曲之中，其中小喬更是幾乎遇溺一般，浮著蕩漾的表情，隨著琴音搖曳擺動。若不是父親和大喬在旁，說不定她就跑出去伴舞了。

另邊廂，在孫宅的大堂主席上，步練師正為仲謀斟酒，仲謀則為了按捺自己，不讓雙手受周郎曲及練師酒的影響，在眾目睽睽下抱向步練師腰肢而努力著。

文臣武將們，不論長幼上下，都鬧成了一團，程普和韓當喝多了，追著呂蒙等一干青壯，訴說著自己當年的威風。魯肅、陸遜和諸葛瑾等新來的文臣，都把握機會去結識平日甚少交集的武將們。年幼的小尚香則在黃蓋的教導下，即席表演著現學現賣的劍舞。連身體虛弱的季佐亦以茶代酒，與張昭、張紘為首的文臣們暢飲一番。

整個宴會上，就只有一人悶悶不樂，卻沒有表露出來。那人正是大喬，婚禮上的種種，都讓她回想起當年，為何那屬於她和他的婚禮，她竟沒有好好享受，一直都板著臉，令僅有與他的回憶都只有苦澀。

為了轉換心情，又不想打擾陶醉在周郎琴音中的小喬，大喬便獨自離席，來到後園。這裡只偶有傭人穿梭，他們都忙碌得沒察覺大喬的存在。

大喬倚坐在亭子裡，望著銀月，回味過去的人生，本來一切都平淡如水，毫無起伏，即使生於一個如此特殊的家庭，肩負如此特殊的責任，但對她來說，這些就是日常，就是平凡，直至伯符的出現。

大喬沉溺在過去，不知過了多時，才被來人喚回當下。

「大嫂，你怎麼一個人獨坐於此？」來人正是新娘子徐翌，只見她已卸妝更衣，似乎所有的儀式都已結束。

「在發呆呢。」大喬淡淡地道：「小翌你呢？怎麼也跑來這裡了？」

「小……翌？」徐翌一怔。

「抱歉，我都是這麼稱呼我妹和小尚香的，你是不是不習慣？」大喬道。

「不，只是從未有人叫得我這麼親密……」

大喬攤出雙手，示意徐翌握住，並道：「我們已經是姊妹了。」

徐翌呆瞪著大喬雙手，不知如何是好，大喬見狀便主動握了過去。

「大嫂……不，姊，你和我聽來的印象有點不同。」

「是不是更會人情世故了？因為我努力地練習過。」

「為何要練習這種東西？」

「不是為何，而是為某人。」

「為了誰？」

大喬欲言又止，道：「算了，說出來你也不會信。」

「是你夫君孫策嗎？」

大喬苦笑著點了點頭，道：「很傻，對不對？我竟還相信著能和伯符再會。」

「畢竟是靈巫。」

此言一出，馬上嚇得大喬鬆開了手，並向後退了幾步。

「你是甚麼人？」大喬問。

「放心，我不是從北面來的。」徐翌從懷中掏出一塊黑色小石頭般的吊飾。

「黵玉？你是……黟山信徒？」

徐翌點了點頭。

「我們楚神信徒與你們的關係雖不如與軒轅信徒般惡劣，但亦沒甚麼交集，那你找我是為了甚麼？」大喬警戒地問道。

「大嫂你，想不想來群山丘陵看看？」徐翌親切地笑問：「那裡，說不定有你想找的答案。」

「你怎麼知我想找甚麼答案？」

「你剛才不是說漏嘴了嗎？為了某人，那已逝世的某人，那已成為了無常的某人。」

徐翌見大喬驚訝得說不出話，便敲了敲眼側，道：「我也看得見他。」

「他在哪？」

徐翌笑了笑。

洞房，花燭，夜。

房裡花燭已滅，殘煙仍在繚繞。

徐翌的餘香附在被子上，讓叔弼久久不願離開。

然而，餘香最終還是敵不過飢餓，叔弼爬了起床，換了身衣服，先跑出去向剛才鬧新房的摯友們復仇，然後才來到大廳上找些吃的填填肚子。卻沒想到，叔弼方步入大廳，已被席上的親友圍堵敬酒恭賀。

待與每一個來賓都敬上一杯後，叔弼才重獲自由，飢餓、醉意與興奮交織而成的疲憊，直讓他跌坐入席。正當他想伸手去取案上的果子時，又有兩人坐到他身旁，他嘆了口氣才望向那二人，原來是仲謀及季佐。

「多得你，吳城上下很久沒這麼熱鬧過了。」仲謀碰了碰叔弼的酒杯，然後乾了自己的一杯。

「我真沒想過結個婚而已，竟然會比打仗還累。」叔弼也將自己的酒杯一飲而盡，卻又馬上被季佐斟上滿滿一杯。

「讓我想起大哥的婚禮呢。」季佐舉起茶杯，只喝了半杯，就快要嗆倒，他回了口氣，然後說道：「你們還記得嗎，當年大哥圓房後從新房裡出來的樣子。」

「記得，傻傻呆呆的幸福相，半點小霸王的模樣都沒有。」仲謀笑道。

然後，三人一同黯然不語，仲謀的表情卻與叔弼季佐的有點不同，在遺憾之餘，還帶有更多的情緒。

「如果大哥還在我們身邊……」季佐不禁落淚。

「我在啊。」正守候在弟弟們身後的符，即使自以為無人能聽見他的聲音，卻仍然答道：「一直都在。」

四兄弟沉溺在無言中好一段時間，叔弼才開口問道：「說起來，怎麼好像不見盛憲大人？是已離席了嗎？」

誰都沒想到，問題的答案，竟讓孫家這場盛大熱鬧的婚禮，添上了一個小小的污點。

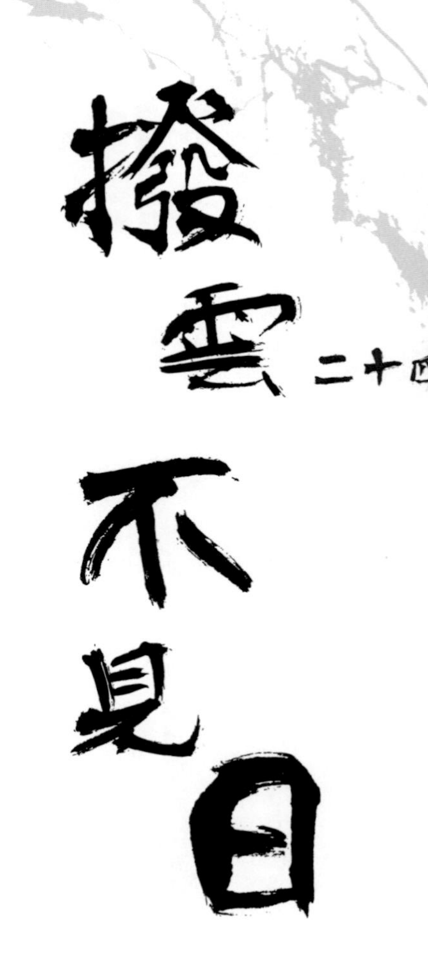

婚禮過後，叔弼便帶著妻子和親信到丹楊赴任，大喬亦應徐翌的邀請一同前往。小喬為此事傷心了好一陣子，心情低落得讓公瑾手足無措，不禁讓他想起伯符離開時的自己。而小喬之父則暫時寄住在公瑾的官邸，幸好有他陪伴小喬，才讓公務繁重的公瑾稍稍放心。

至於符，除了每天晨練，還多了個新習慣——在日落時躺在屋頂，撫著懷中的翊發呆。

過了好一陣子，在吳城裡湊夠熱鬧的禰衡才再找上符，然後劈頭便問：「整天無所事事的，不查兇手是誰了嗎？」

「我已經大概推斷到是誰了。」符仍然望著晚霞，平淡地道。

「你是憑甚麼猜的？明明這段時間都沒見你去調查或是去回憶。」

「是早前發生的三件事，讓我察覺到之前一直沒發覺的，他們的想法，或者說，他們的大願。」符苦笑道：「明明公瑾早就察覺了，我到底是怎樣當兄長的？」

「搞不懂，是哪三件事，可不可以別賣關子？」

「第一件，是張紘剛回來時，與季佐的會面；第二件，是討伐山越的會議後，仲謀與子敬和那陸姓小子的密談；最後，就是叔弼在婚禮上痛毆仲謀。」符答：「接下來，只要再去探望另外兩個有嫌疑的人，相信就能水落石出了。」

禰衡奇道：「怎麼又冒出了兩個嫌疑人了？」

「一個是公瑾他們認定的疑犯，叫作祖郎，是我橫掃江東時的對手，明明只是個山賊，身手卻不下於我，甚至曾兩次擊敗我，其中一次還幾乎宰了我，只是他的大斧稍稍偏了，只伐中我的馬鞍。後來我好不容易才打敗他，還說服了他成為我手下，我對其待遇可不下太史慈。」

「為甚麼會懷疑他？」

「一來，整個江東有能耐殺我的，只有五人，他正是其一；二來，公瑾他早前在我中伏之地找到線索，發現射中我的那招彈地箭，是山賊的招數，當時除了祖郎外，就只有賀齊會，而賀齊常年在東南方，所以嫌疑最大的，只能是祖郎了。」

「那另一個疑犯呢？不會就是那賀齊吧？總聽到他的名號，卻從未見過他。」

「不，不是他。」符答道：「這陣子袁家那邊不是因為嫡庶的關係鬧得很僵嗎？我其實也有個庶出的弟弟，叫孫朗，不過一直沒甚麼交集，也是早前在叔弼婚宴上再見到他，所以才想起，但好歹也有血緣，也算是兄弟的範圍內吧？」

「這聽起更像是你為了說服自己，兇手不是那幾個關係更親的兄弟才想起來的呢。」

符無言以對。

「明明真相就在眼前，為何不去調查一下他們？」

符仍然緊閉雙唇。

「哼，是到了最後關頭，反倒不敢去揭開真相吧？畢竟揭開後，總有其中一個兄弟，會變成陌生的存在。」

「但願是只有一個。」符喃喃道。

「你說了甚麼？」

「我怕，我真的怕。」符苦笑著道：「我曾經以為，自己是孫家，是江東最不可或缺的人，即使死了，他們仍需要我的幫忙，就像廬江之事。然而，即使我解決了陸家的怨恨，但原來仲謀他們亦已另有方法，即使手段有些下作，但現在這歌舞昇平的吳城，卻證明了，他……不，應該說他們都比我更適合治理這片江東。」

禰衡皺了皺眉，不屑道：「堂堂小霸王，竟在這耍些小孩子脾氣。」

符反了反白眼，悔道：「是我錯，我不該和你這傢伙訴心聲的。」

「人都死了，心都早沒了，還說甚麼心聲？」禰衡道：「比起這些無聊事，快去一探究竟，找出答案不是更好玩麼？」

「是為了好玩嗎？」符苦笑，然後無奈地站了起來，伸了伸懶腰，正準備說些甚麼裝模作樣的帥氣話時，卻發現天邊有一隻奇怪的東西正向自己飛來。

符以為自己又招惹上哪一路怪鳥，但細心察看，方發現那東西雖有翼，卻無羽，身上閃著鱗片獨有的光芒，背上一對蝙蝠般的翅膀，那形態猶如神話故事中的龍。

只是，那龍形之物越飛近，便越顯得細小，而且也沒有角，比起龍，更像守宮。

只見那長翼的守宮終於來到眼前，竟只有巴掌般大小，雖然比起一般守宮來說是頗大，但對於奇獸來說又有點過於小巧。牠在符身前盤旋，雙眼一副責怪又帶著疲累的神色，符會意，伸出手掌相迎，那守宮便馬上降落，然後不知從何處叼出一個錦囊。

放下錦囊之後，噗的一聲，牠的雙翼竟化成輕煙，身形亦縮小了一半，變回一隻普通尋常的守宮，並穿透了符的靈體，跌在了瓦頂上，然後飛快地溜走了。

符目送那守宮後，才打開那枚錦囊，取出紙條，只見上面寫著：「吾乃繼任靈覡，望多指教。」

「繼任？之前的不幹了嗎？難得才熟絡了，而且連道別都沒有……」符失落地道：「唉，終於要再上班了啊。」

禰衡突然瞪著他。

「知道了，知道了，那上班前先去看看祖郎和孫朗吧。」符無奈地道，然後禰衡便露出燦爛的笑容。

郡府大牢。

符和禰衡一直來到大牢最深處，才發現祖郎的身影。

只見祖郎身穿一件暗紅色的囚服，身上到處都是傷痕，綑在木架上，四肢都被鐵鏈鎖住。但他卻仍能一臉淡然地呼呼入睡。

「真是辛苦你了。」符走到祖郎面前，不忍地道。

「……誰？」祖郎竟聞聲醒來，左顧右盼，卻不見人影。

「他……是不是聽到你説話？」禰衡驚訝又興奮地問。

「你的反應怎麼像見鬼一樣，明明我們才是鬼。」符失笑，然後道：「他只是隱約聽到而已，那代表他要不是有強大的靈力，就是大限將至。看他這狀況，也只能是快死了。」

「那是不是要等他死了才能打聽？」

「難得來了，就不浪費時間。」只見符伸出劍指，然後緩緩探入祖郎的太陽穴，問道：「祖郎，很久不見。」

「是誰？」祖郎驚而不慌地問。

「不認得我的聲音了嗎？」

「莫非是……伯符？」

符笑了笑。

「哈，我怎麼竟聽到死人的聲音？我是不是也快死了？」祖郎凜然笑問。

「我來是有事想問你的。」

「不會是連死者本尊都要來拷問是否我下的手吧？」

「不，我是想知道，他們為何會單憑那箭法就懷疑你。」

「啊？你沒懷疑我嗎？還是說你當時是看到誰射你，卻偏偏悶在心裡到死都不說？」

「我當然不會懷疑你，你又不是那種搞暗殺的材料。」二人笑了笑，符續道：「我也沒見到射我的是誰。我只看到那箭的軌跡。」

「是不是箭快將插入地上時，箭頭卻奇妙地揚起，然後箭肚觸地，立馬魚躍般彈起？」

「對，完全一樣。」

「哈，那也難怪會懷疑我。」

「這箭法有那麼難學嗎？到底是甚麼來頭，山賊秘傳的必殺技？」

「不，這招叫蜻蜓點水，是山越箭法。」

城西。

孫家別苑。

符臉色陰沉，大步流星地走入半敞的大門。

禰衡卻依然百無禁忌，不顧符的情緒，自顧自地問道：「為何那祖郎突然就聽不到你說話了？」

「大概是有甚麼東西讓他再次獲得生存意志，所以離死亡遠了吧。」符冷道。

「嗯哼。」禰衡又問：「說來，這是甚麼地方？專門幽禁庶子庶女的地方嗎？」

「說甚麼幽禁，不用肩負家業責任的他們，可比我們這些嫡子自由自在多了。」

二人在別苑中兜兜轉轉，卻始終找不到孫朗的身影。

「這裡不是你家別苑嗎？怎麼會迷路呢？」

「我生前可是當家，隨意來到可是會讓他們大亂又緊張，所以沒甚麼要事都不會來，自然不熟這裡。」

走著走著，符發現了一個兩、三歲左右的孩童，正在園子中蹣跚學步。

那孩童似乎也發現了符，二人四目交投，符的心深處湧起一股莫名其妙的暖流，他很想走近那孩童，同時恐懼和不安又牽扯著他的腳步。

只見那小孩竟伸手指著符，然後嘴巴張張合合的，似乎想開口說些甚麼。

符一瞬間明白了甚麼，立馬快步離開園子，隱沒入廊中。

「怎麼回事，知道那庶子在哪了嗎？」禰衡追在符身後問道。

符沒有回答，只想儘快逃離那小孩的目光。二人在別苑中橫衝直撞，胡走亂逛，卻意外地遇到一張熟悉的臉孔。

一張俊美而蒼白的臉孔。

是季佐。

他踏著輕盈的步履，不徐不疾地走入了一間房。

「你四弟怎麼會在這？」禰衡好奇道。

符臉色變得更陰沉，逕自走入了那房間。

只見這房間內堆滿了書籍、信紙與地圖。房間的主人則似乎埋在書堆之中，他聽到腳步聲就馬上抬頭，見是季佐便從書堆裡爬了出來。

「兄長，你來啦。」那人正是孫朗，只見他一臉倦容地向季佐打招呼。

「如何，拜託你調查的事，有進展嗎？」季佐隨意地坐在榻上，問道。

「查到了，的確是山越的信物。」孫朗從案上取過一塊黑色小石頭般的吊飾，然後再取來一本圖冊，在季佐面前將吊飾和冊中的圖比對，說道：「看，一模一樣，對吧？」

「那這到底是甚麼東西呢？這冊上面的是甚麼字，怎麼我一個都看不懂。」季佐說。

「這些是戉文，我也還未能解通，大概是說這東西叫膽玉，味苦，是族人相認之物。」孫朗問：「這東西似乎是不外傳的，你是怎麼拿到手的？」

「我的手下在皖城拾到的，據聞是從一個被斬頭的老婦斷項上跌出來。」

「嗚哇！」孫朗嚇得將膽玉拋走，道：「竟然是這麼邪門的東西，我還和它朝夕共處了好幾天！」

季佐大笑了會，然後便準備離開了，並望向書案上的信件堆，吩咐道：「那接下來就麻煩你繼續幫我從信中分析一下那些朝廷重臣間的關係了。」

「唉……知道了。」孫朗望著信堆嘆道：「其實你要梳理他們的關係有甚麼用？」

只見季佐背著從門口照入的光，猶如聖人降臨一般，回首答道：「為了王道。」

禰衡見狀失笑：「真會裝模作樣。」然後準備跟上離開，卻被符抓住手臂留了下來，於是問道：「怎麼了？」

符陰沉地望向窗外，只見一隻灰色的鴉降落在季佐的肩上，並似乎在與他交流。

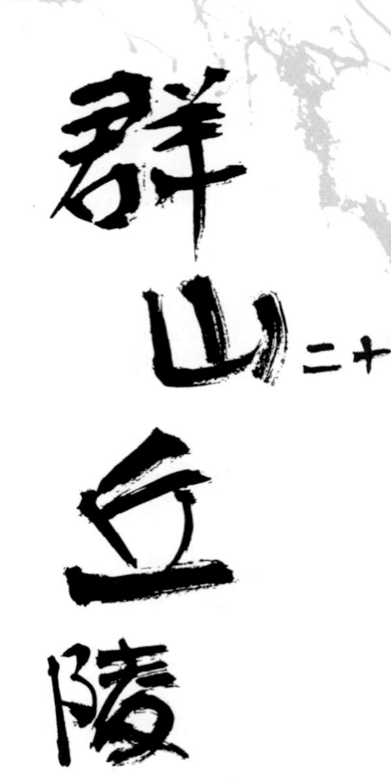

丹楊。

此地與吳郡、會稽相鄰，孫軍轄下重鎮城池早將此地重重包圍，卻一直無法完全將之收歸為領地，皆因丹楊之境數千里，山谷萬重，其人深居幽邃之地，即使在太平盛世，官府的明令都無法傳達。

雖然丹楊人民不與官府往來，卻非一般深山野民，不但常與城民交流，商市蓬勃，同時卻也有不少人以搶掠為業，寇盜處處。而且山中銅鐵產量豐盛，令他們有能力自鑄兵甲，加上他們好武習戰，崇尚氣力的習俗，使得丹楊兵無論實力和裝備，都非一般官兵所能及。

即使朝廷派出重兵鎮壓，亦只能擊退，無法殲滅，因為一旦兵敗，丹楊兵就會化整為零，各自逃到山林之中，如鳥獸竄逃，無法捕捉，亦無法控制。

亦因如此，所以中原一直有云：「丹楊山險，民多果勁。」是自古以來悍兵輩出之地，連當代大小兩梟雄，曹操和劉備都是以丹楊精兵起家。

曹操在討伐董卓一戰中不敵徐榮，退回大營後，卻見聯軍諸侯只顧飲酒作樂，毫無進取之心，將他們大罵了一遍後，便離開了聯軍，為日後天下大變積存勢力。然而在兵敗徐榮一役中，手上兵馬損失慘烈，為了補充兵力，曹操便與親信夏侯惇到揚州募兵，得到四千丹楊兵。

卻沒料到，這四千人馬中大半都是山賊流寇，竟在半路背叛，夜焚曹操軍營，曹操不得不拔劍突圍，才闖出火場，途中更手刃了數十名亂兵，此舉反倒令非山賊流寇之輩的丹楊兵折服，全力協助曹操討伐亂兵，最後雖然只餘下五百餘丹楊兵，卻成為了當時曹軍的主力。

至於劉備，早於討伐黃巾賊期間，就已經見識過丹楊兵的勇悍。當時的劉備亡命於外，恰巧遇上奉大將軍何進之命，到丹楊募兵的都尉毌丘毅，便自薦加入，後來帶領丹楊兵討伐盜賊有功，被任命為下密縣丞。

只是區區縣丞，無法讓劉備一展抱負，於是不久後就辭官而去，繼續尋找建功立業的機會。

約十年後，曹操攻打陶謙徐州，劉備不顧自己勢弱，不辭勞苦前往相救，因而得到陶謙器重，並表為豫州刺史，得到小沛這根據地，還獲陶謙贈送了四千丹楊兵，成為劉備逐鹿中原的部曲。

「丹楊兵真有傳聞中那麼勇猛嗎？」禰衡問。

「當然，我起家的主力隊就是丹楊兵。」符答。

禰衡和符正在騎著翊，踏上前往丹楊的官道。

二十五 群山丘陵

「還記得圍舒城時的那隊騎兵嗎？」符續道：「除了程普等老臣外，他們就是老頭留給我最貴重的遺產，雖然只有區區二百人，卻讓我在袁叔旗下立過很多功績。再到後來自立時，我還特地再來這裡招募了五百精兵，成為橫掃江東的主力。」

「那現在這批丹楊兵還在嗎？」

「當然還在。」

「都成為了你二弟的衛兵了？」

「如此精兵當護衛豈不是浪費了？其實在公瑾正式公開地加入我麾下時，我已經分了二千兵馬予他作部曲，這其中有二百人就是那批丹楊兵。到我死後，其餘的都歸他所管了。」

「竟讓最精銳的部隊都交到外人手上，你弟真不怕死。」

「公瑾不是外人。」

禰衡反了反白眼，便繼續滔滔不絕地問丹楊大小事，不知不覺間，一行人來到一座丘陵之上，並遠眺著丹楊城。

只見丹楊城被群山丘陵重重圍住，其中穿插著數道河川，河川又交織出片片湖泊，除了城外一片經過平整的農地外，餘下的地方都是樹林。

「一看就懂了，這樣的地形，真難怪會說山險民果。」禰衡嘆道：「只是丹楊人都已據此等山險，為何還要接受招募，去當外人的兵？」

「一為錢財，二為炫耀武功，不單是習性讓他們拳頭發癢，他們的戰功還能成為守護家鄉的一道無形城牆，聽到丹楊之民如此擅戰，誰還敢輕易靠近他們的地盤？」

「說甚麼輕易靠近，不熟山道的，就算是沒阻沒攔的走了入去，恐怕也走不出來。」

「據聞當地人都是以黟山來判別方位的，但明明黟山在老遠。」符遙指城南方的群山：「在那片山脈再南方的四百多里處。」

「那明著是騙人的了吧？」禰衡瞇著眼道：「凡人豈眼看到四百里遠，莫說凡人，我這鬼魂也看不到啊！」

「他們不是直接看黟山，而是憑周遭山勢去判斷黟山的位置。」符道：「丹楊人認為這片土地的群山丘陵都以黟山為首，所以山勢都是朝向黟山，只要看出山勢，就能知道黟山何在。」

「那要如何看出山勢呢？」

「鬼知道，我又不是丹楊人，他們又不肯外傳。」

「哼，真吝嗇。」

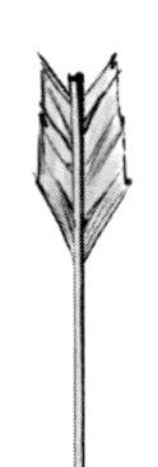

「說起來，你這趟來丹楊要做甚麼？來查你三弟麼？」禰衡問。

二人一虎走了半晝，終於來到丹楊城下。

「是那新任靈覡的安排。」符說：「按以往的經驗，要我負責的亡魂大都與我有關，這次恐怕是我那不久前死去的舅舅吳景吧？也可順道來看看叔弼這新任的丹楊太守幹得如何。」

「啊？可是那傢伙不是最有嫌疑的兩人之一嗎？」

「即便如此，他也是我弟弟。何況那次自以為已經接近答案，卻反倒搞得更混亂了。」

「也不算更混亂吧？起碼知道最可疑的是三弟四弟。」禰衡又道：「雖然二弟那逐漸暴露的脾性和受益者身分更像是犯人。啊，還有那周瑜攬權攬兵的做法也是……」

符故意等禰衡望向自己時，揚起嘴角冷冷一笑，然後就轉身走入丹楊城內。

丹楊城。

太守府書房。

叔弼揉著太陽穴，一言不發坐在案後，他的三名親信邊鴻、孫高及傅嬰，則沉默地站在他前方。

房內的氣氛猶如凝結了一般，三名親信不時交換眼神，卻誰都不作聲，連呼吸也不敢太過放肆。

叔弼揉著太陽穴的手開始發抖，他索性將之握成拳頭，拓在腮上。

沉默。

再沉默。

然後。

砰！

隨著聲響，叔弼的書案化作了兩半，木屑在空中四散。

孫高終於按捺不住，率先發言，道：「大人，現在比起發怒，還有更重要的事。」

「如果怒氣是能如此輕易駕馭就好了。」叔弼聲線低沉地說道，手上卻舉起了一個比人還高的書櫃，直砸向窗外：「該死的二哥，該死的孫權！先是在我大婚之日軟禁盛憲大人，現在還將他殺了！」

傅嬰強忍恐懼，用發抖的聲線勸道：「大人啊，盛憲大人之死已無法改變，我們還是先打聽一下山中的反應吧？別讓事情變得更不可收拾……」

叔弼卻向外曲背，然後朝著屋頂怒吼。

這一吼猶如虎嘯龍吟，三親信不禁後退了幾步，連屋上瓦片都被震落了幾塊。

吼完，叔弼喘著氣，眼神卻稍稍回復了理智，並道：「叫嬀覽和戴員過來吧，我想了解他們怎麼看這事。」

邊鴻突然作揖鞠躬，頓了一會才道：「他們……已回到山中了。」

叔弼閉目嘆道：「我已被當成是孫權那邊的人了嗎？」

「那麼……接下來只能做好防備工作了。」孫高道。

叔弼走出房間，仰望天空，只見片片白雲遮蔽著青空與太陽。

他閉目沉思，忽然一陣勁風拂過，將他的衣袖吹得伏伏作響。

他徐徐睜眼，卻見眼前層層厚雲似被勁風吹開，向著天邊緩緩飄盪。

「不，我要親自入山。」叔弼舒了一口氣，不理會三親信的勸止，凜然道：「不嚐苦膽，何以得群山丘陵庇佑。」

作出決定後，叔弼便回到臥房，換上了狩獵服，並用布條將手腳腕位都紮緊。然後，在準備取下掛著的斗蓬時，驀然感到背後有一道寒氣，他馬上轉身，只見一抹銀光正刺向自己。

叔弼馬上運起雙手，向著銀光後方交錯拍按，同時身子一扭，在避開刺刀同時，一手拍開了刺客手上的匕首，一手按住那人的手腕。

危機解除，叔弼才有餘裕去看清刺客的臉容，竟是其妻子徐翌！

只見徐翌雙眼通紅，朱唇亦被自己咬破，渾身發抖地被叔弼壓制住。

「你為甚麼要這樣做？」

兩人同一時間問道。

空氣安靜了下來。

叔弼馬上就明白了徐翌的動機。

徐翌卻無法看清這人是否偽裝。

「盛憲的事，我不知情。」叔弼答道。

「如何證明？」徐翌痛恨地哭道：「我明知你是一個劣跡斑斑的人，卻仍然將我族的未來交付給你，真是失心瘋了！」

「你要相信我！」

「別說你忘記自己做過甚麼！你手上沾過誰的血！」

「我正準備入山，孤身一人，就像當初我們相遇那樣。」

徐翌聞言一怔，身體亦隨之乏力，倒在榻上，叔弼為了護住妻子，馬上將制住她的身法反過來，讓自己墊在下面。

「沒事吧？」

徐翌伏在叔弼懷裡，微微顫抖著。

叔弼從懷中探出膽玉，放入口中，然後右手舉起食指，指天起誓道：「群山丘陵為證，黟山為證，我孫翊，孫叔弼，永不背叛山越之民。」

徐翌聽到後，顫抖慢慢消退，然後她在叔弼懷中扭了扭頭，擦拭了眼淚後才抬頭道：「哼，你又未是正式的山越之民，群山丘陵才不會為你作證，而且這仍不夠，還搬出聖山的名號來，真是放肆。」

「那……我該怎麼辦？」

徐翌不答，而是捧著叔弼雙頰，不顧對方口中仍含著苦膽，吻了過去。

叔弼在甜蜜尚未完全綻放之際，突然大叫了起來，只見他痛苦地踢著腿，卻不敢將妻子推開。

吻了好一會，徐翌才放開叔弼，卻見她的唇上，竟牽著兩道顏色不一的血絲。

「你怎麼突然咬我舌頭啊？」叔弼痛道。

徐翌先是探手入去叔弼嘴內，翻起其舌底察看傷口，然後再將膽玉放在傷口上滾了兩滾，將破口染成了黑色，害叔弼又再痛苦慘叫，接著才道：「引路人所贈的膽玉、群山丘陵上取得的薪簪、與山越之民交換血脈而烙下的印記，有了這三樣東西，你就正式成為山越之民了。」

叔弼不敢置信地瞪大了眼，然後用力地將徐翌擁入懷中。

徐翌稍稍掙扎後，便裝作無力抵抗，說道：「哼，只有這樣，你剛才起的大誓才會有效，別想歪。」

叔彌不語，只是微笑著，然後更用力地摟住徐翌。

徐翌紅著臉推開叔彌，然後道：「對了，你入山時，順便問問大嫂的修行情況。」

「説起來，為何她這麼輕易就被山民接受，我卻險阻重重？」

「因為戰士我們多得很，但像她那樣的信使卻寥寥可數，就連我的卦術，與她相比，都變得像江湖術士的玩意一般兒戲。」徐翌嘆道。

「她到底是甚麼人？」叔彌問道。

但徐翌卻不打算回答，叔彌亦早已習慣，再一次用力地摟著徐翌。

在故作不滿的掙扎聲中，徐翌喃喃地道：「希望這印記，能讓你平安入山，平安出山……」

風。

秋風正勁。

秋風吹得天地間一切都站不住腳。

雲在搖晃、山在搖晃、樹在搖晃、馬在搖晃，卻唯獨牽著馬的人，穩行如風。

丹楊。

丹楊城南山野。

那牽馬之人，於這夏秋交替之際，再度孤身而至。

牽馬人走到一山林入口，被突然從兩旁冒出的山民攔路，並道：「姓孫的，我們不找你，你倒自己找上門了！」

叔弼沒答話，只是張開嘴，反起舌頭，露出山越之民的印記。

「那只是太平時代的印記，在你們殺了盛老後就已經沒意義了！」山民道。

「盛老之死與我無關。」

「你是孫家人，而且殺他的人正是你兄長！」

「看來是說不通了。」

「我們從不重視甚麼狗屁話術，這都不知道，你還敢說自己是山民？」山民拔刀指向叔弼。

叔弼沒有回答，只是輕輕揮了揮手，一陣銀光閃爍，那兩個山民就倒下了。

只見兩個山民肩上各插著一支短箭。

「我妻子不喜歡見血，所以我避開了要害，而且乃念你們是山民，所以亦沒瞄準膝蓋。」

「可惡……」山民卻不屈服，硬拔出短箭，然後繼續舉刀走向叔弼，並道：「山民豈會如此輕易就屈服！」

「唉，這該如何是好？」叔弼心中盤算：「用劍，每著都要避開要害，實在太費神；用刀，要用刀背，那樣不順刀形地揮劈，恐怕不一會就斷了；那麼，唯有——」

「逐日，借你的東西一用。」叔弼說著，同時從逐日的馬鞍上抽出馬鞭，然後揮向眼前山民。

二十五 群山丘陵

馬鞭揮動了四下，便將二人的雙臂都抽得紅腫，無法再握刀，二人深感技不如人，亦只好放行。

叔弼繼續深入，走到新月初升，才穿過山林，來到山腰，但這一片山腰，卻沒有厚實的城牆擋住。

沒有牆，只有群山丘陵，這就是山越之境。

群山上亦看不出建築和人煙，但叔弼知道，數以十萬計的山越之民遍布群山，其中不少人，應該都正在觀察著他。

叔弼揮舞著馬鞭，一路擊退攔路的山民，並翻過了一座又一座的山嶺，最後來到一個被群山環繞的谷地——臥薪谷。

臥薪谷裡殿堂廟宇民居市集齊全，山民亦不再只有壯丁，男女老幼在谷中穿梭，熙來攘往，好不熱鬧。而且他們亦不再攔阻叔弼，反而有兩名山巫裝扮的少女前來迎接。

「徐家女婿，請隨我們到山殿去。」兩名山巫同聲說道。

叔弼在山巫引路下來到山殿，只見殿上坐著五人，站著二人。

那二人正是嬀覽和戴員，是山越派去丹楊城的使者。

至於坐著的五人，就是山越之主，山越五伯。

這名號來自古時的春秋五霸，有說當時中原文字中，霸與伯同，代表尊長，五霸的意思，實指五大諸侯，亦即是五位最有權勢的諸侯。只是，後來成為五霸的諸侯，都是以武力征伐他國而得其名號，霸字便漸漸有了另一重意思。

所以山越之民便用回古意，來稱呼他們的五位首領。

「賢婿，這幾位和我一樣，都是山越五伯。」坐在殿上的其中一人，正是徐翌之父，亦是山越五伯之一的徐長老，他向叔弼介紹其餘四人：「這位是盛長老，你的引路人盛憲的繼任，而那兩位分別是嚴長老和陶長老，至於中間這位，則是姒老。」

「姓姒？」叔弼訝異道：「閣下就是山越之王？」

姒老只是微微笑道：「山越無王。」

「那麼，你是來殺我們的？」嚴長老道。

「山越人不殺山越人。」叔弼道。

「你憑甚麼說自己是山越人？」陶長老道。

叔弼再次反舌，現出印記。

「既然小女已為賢婿烙印，那我只好站你的一邊。」徐長老說著，同時走到叔弼身旁。

「你二兄殺了我族長老，我不能容你。」盛長老坐實原地。

「你長兄殺了我族勇士嚴虎，以及無數的山民，我亦不能容你。」嚴長老道。

「二對一，真困擾啊……還是交由姒老定奪吧。」陶長老說畢，便與徐長老一同來到叔弼身旁。

姒老深思了一會，然後徐徐問道：「為了成為山越之民，你願意獻上甚麼？」

「願意獻上甚麼？」叔弼道：「我，早已獻上了一切，甚至不惜背上屠城的罪孽。」

丹楊郡宴 二十六

黃山四千仞，三十二蓮峰。丹崖夾石柱，菡萏金芙蓉。伊昔升絕頂，下窺天目松。仙人煉玉處，羽化留餘蹤。

——唐．李白《送溫處士歸黃山白鵝峰舊居》節錄

黟山。

黟山位處丹楊城西南四百里外，受群山丘陵環繞仰視。黟山，在後世更名為黃山，成為了文人墨客筆下傑作，揚名天下。

但此刻的黟山，仍是山越的聖山，仍是蘊含著重重謎團的秘境。

黟山山腰一個不起眼的山洞內。

大喬正以洞中泉水沐浴淨身，兩名山越少女則在旁邊侍浴，用水瓢盛起泉水，然後

澆在大喬每一寸肌膚之上。

為了讓大喬從寒冷刺骨的泉水中稍稍分心，其中一名少女便隨意找了個話題，道：「說起來，你夫弟早前來過臥薪谷呢。」

「三弟嗎？」大喬強忍顫抖，問道：「是小翌叫他來的嗎？」

「不，好像是來成為山越之民的。」少女答道：「你要去見見他嗎？」

「不了，若是小翌叫他來那還好，他自己來辦事就算了，我跟他又不熟，而且他那臉容，讓我難受……」大喬道：「太像我夫君了。」

聊著聊著，淨身儀式便完成了，大喬換上一襲山巫服飾，準備赤腳走入洞穴的更深處。少女卻不禁問道：「你走入去，就代表背棄家族，背棄楚神，真想清楚了？」

「為了他，我願意。」大喬苦苦笑道，然後投入黑暗。

大喬孤身在幽暗狹窄的山洞中前行，彷彿走進了時間的盡頭，連自己是在前進還是後退都無法確認，唯一能認知時間存在的，就只有心跳聲。

不知走了多久，終於有道微弱的光從前方傳來，洞身亦漸漸變得寬闊。

然後，就像洞穴突然擴展一般，大喬來到一個相當廣闊的空洞之中，壁上不知沾著何物，閃著熒熒青光，只有大喬正對著的那一面壁空空如也，僅在中間有一道顯眼的縫隙。

驀然，那道縫隙開始顫動，然後上下張開，並露出一隻巨大的眼睛，瞪著大喬。

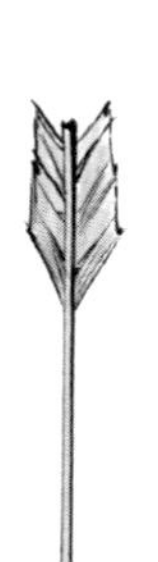

二十六 丹楊郡宴

自叔弼入山之後，已過了一個月。

失去太守的丹楊城並沒有太大的改變，憂心和不安雖在飄盪，卻不濃重，皆因丹楊城民早就慣於和山民相處，甚至有不少城民本身就是山民，他們已看過太多太守更替，亦經歷過太多勢力交接，城主常易，唯有群山不移。

然而，作為孫軍的文臣和武將們的憂心卻日益加重，叔弼的妻子徐翌更是茶飯不思，每天日間就待在城頭盼著叔弼歸來，入夜就埋首為丈夫卜卦，但得出的結果都是曖昧難明。

但徐翌終究沒化成望夫石，逐日那熟悉的踏踏蹄聲從遠方傳來，她聞聲望去，果見叔弼騎著逐日，掛著笑容，從山上歸來，而在他身後，還跟著嬀覽和戴員。

徐翌、叔弼的親信以及城中的山民，都明白這代表甚麼，代表山民接納了叔弼，不將盛憲之死怪罪於他頭上，代表和平再次光臨丹楊。

對徐翌來說，這些都不過是枝節，對徐翌來說，叔弼歸來的最大意義，就是叔弼平安歸來。

逐日腳程冠絕江東，甚至連中原都沒有幾匹馬能與牠並肩，能想到的就只有赤兔、絕影以及其母飛電，爪黃飛電。

但對於徐翌來說仍是不夠，她等不及逐日回城，便自己先行策馬出城迎夫。

兩騎在城門前方相遇，徐翌連勒韁落馬的時間都不想浪費，就直接從馬背上一躍而起，躍向丈夫的懷裡，叔弼輕巧的接過妻子，久別的二人緊緊的相擁在一起。

隨著太守歸來，與山民和解，丹楊度過了一段難得的好日子。

唯獨親信邊鴻的態度，讓叔弼感到奇怪。自從叔弼歸來，不知為何嬀覽和戴員就經常與邊鴻來往，叔弼不禁疑惑，是山民仍未完全相信自己？還是只不過是那三人性情相投？

不過因為與徐翌的感情突飛猛進，所以他將更多的心神，都放在妻子身上，這是叔弼一生中最幸福的時光，他不想讓毫無來由的疑惑影響這良辰。

然而，幸福與平和總是戛然而止。

南邊的事稍定，東邊又傳來音訊。

孫權以報父仇之名，發兵夏口，攻打黃祖。

「黃祖？」叔弼聽到消息後不禁惱怒：「既然是為父報仇，他為甚麼不通知我？」

「說不定只是試探，所以未動用主力。」孫高分析道。

叔弼聞言後稍稍冷靜了下來，問道：「領軍的是誰？先鋒又是何人？」

「少主親自領軍，並由淩操作先鋒。」傅嬰答道。

「奇怪的陣容。」叔弼再問：「那瑜兄和三老他們呢？是分兵，還是與二哥一同率領中軍？」

「呃……這倒，沒有這方面的情報。」傅嬰垂頭作揖道。

「這更奇怪了……」叔弼思量道：「感覺就是在作作姿態，莫非是軍中又起甚麼風雨，二哥要靠報父仇之舉來團結人心嗎？還是……不，等等，莫非是拋磚引玉？」

叔弼馬上察覺，自己說不定意外地洩露了軍機，於是馬上閉嘴，並環視親信三人，以觀察他們是否領悟自己所說。

只見孫高仍是一副木訥，站得筆直，眼神亦直直地望著前方，等待著指示；傅嬰則依然畏懼地垂著頭，眼神飄忽，一副生怕叔弼發火的樣子；至於邊鴻，則一臉肅穆地望著叔弼，期待他繼續說下去。

但叔弼猶豫了。

他或許掌握了影響江東局勢的秤砣，但天秤的一側是他無比嚮往的山越，另一側則是他的家族。

他無法取捨，所以只好沉默。

但沉默在某些人眼中，就是取捨。

「大人，拋磚引玉是甚麼意思？」邊鴻見叔弼不答，便主動問道。

「沒甚麼，只是我多心而已。」叔弼說罷，便逕自離開郡府，回到官邸去了。

孫高和傅嬰亦相繼離開，唯獨邊鴻藉詞留下，並在確認三人都回家後，他才走向郡府一角，供來訪者暫住的客房。

邊鴻再三確保無人發現他的行跡，才敲響其中一間客房的房門。

不一會，房門打開，來迎之人正是山民的使者，嬀覽及戴員。

叔弼回到家後，又收到另一則音訊。

是仲謀親書的密函，函中寫道：

「近聞叔弼入山會見山越，此舉令丹楊郡諸縣人心不安，以為其郡守投敵，連吳城中亦出現質疑之聲，雖然為兄相信叔弼，但為了安撫部下及諸縣，為兄決定代叔弼宴請郡中一眾縣令長，如物資人手有所不足，隨時告知，為兄必定為叔弼辦妥這場宴會。」

叔弼閱畢，不禁揉了揉太陽穴，然後深深嘆了口氣。

「怎麼了？吳城出了甚麼事嗎？」徐翌問道。

叔弼將密函遞給徐翌，並道：「二哥自把自為地幫我安排了一場安撫諸縣的宴會，在他準備出兵的時間辦場這等規模的宴會，我怕山中會懷疑我有二心。」

「他連人都幫你請了，你連拒絕都拒絕不了……」徐翌讀完後，臉也沉了下來：「而且，他是不是懷疑你了？」

「我入山一個月，就算他不懷疑，他身邊人也會懷疑，尤其是他正舉兵西征，肯定不願有半點不安要素留在自己腹地。」

「那這場宴，是不得不辦了。」徐翌道：「山中那邊，唯有先寫信去解釋，待宴過後，再親身走一趟，我和你一起。」

叔弼將手搭在徐翌手上，用力地握了一握。

「要報答我，這可不夠啊？」徐翌奸狡地笑了笑，然後撲入叔弼懷中，放肆地上下其手。

不等叔弼方面提出要求，仲謀已將宴會所需的各種物資及廚子舞孃等陸續送到，彷彿在催促著叔弼一般。

二十六 丹楊郡宴

在丹楊城上下忙碌了好一陣子之後，郡宴即將開席。

叔弼正在房中更衣，徐翌卻突然撞門而入，更不小心被門檻絆倒，幸好叔弼身手靈活，即使衣衫不整，仍能一個箭步迎上即將仆倒在地的徐翌，將她擁入懷中。

只見徐翌一臉驚慌，結結巴巴的連話都說不好，叔弼便輕托她的腮，安撫道：「好啦，沒事了，有我接著你。」

徐翌用力地搖了搖頭，才終於能把話說好，她道：「我、我剛幫你算了支卦……」

叔弼恍然大悟，道：「卦象不好？」

「是大凶之卦！」

叔弼聞言錯愕，稍作深思後，便道：「知道了，我這就去送客。」

然後，叔弼便草草換上官服，然後趕到設宴的郡府大廳。一眾縣令長見太守現身，都湧上前打招呼，卻沒想到，叔弼甫登場便神色緊張地道：「各位，我剛收到情報，有賊寇準備趁城中舉辦盛宴時乘虛而入，為了大家安全著想，只好遺憾地終止宴會，待我掃清賊寇後再辦一場慶功宴！」

在場者有的遺憾、有的驚訝、有的不安地與身邊人交投接耳，更有的人早喝了兩杯進肚，意猶未盡地勸酒道：「難得全郡的縣令都來了，起碼都得和太守大人敬一杯呀？」

叔弼為了快手送眾人離開，唯有軟硬兼施，敬酒喝了，就馬上送客。

酒過半巡，席上來賓卻沒卻沒散多少，叔弼察覺到氣氛不對。

為何有好一部分已向他敬酒的人，仍然駐足停留？他們的樣子不像是酒未喝夠，更不像是醉得無法自理，他們大都神色緊張，左顧右盼，似在等待甚麼。

雖然叔弼酒量絕佳，但被大半賓客敬過酒的當下，神智難免有些散渙，所以不假思索就走向那班人前，直接問道：「你們怎麼還不走？不是都已喝過了嗎？」

在叔弼身前的一個縣令，見他有幾分醉意，便推了推身旁的護衛。

然後，那護衛竟從袖中抽出一把匕首，刺向叔弼！

酒意朦朧了神智，卻未濃得影響反應，叔弼本能般扭動身子，令匕首僅僅掠過肩頭。

叔弼的腦袋尚未能理解發生何事，但他的手腳卻未有停下，兩三招已制服了刺客和縣令。

「好了，大家不用怕了，只是不知他們還有沒有同伙，所以請大家……」叔弼話未說完，席上眾人已紛紛作出回應，卻不是用語話，而是用刀劍出鞘的鏗鏘聲。

沒有離席的人，全都是刺客。

他們，有的從懷中袖中褲管中抽出短刀短劍；有的翻起席案，從案底抽出藏起的武器。一時間，整個宴會的人，都緊握著刀劍。

唯獨宴會主人叔弼兩手空空。

「你們是誰的人？山裡的？還是孫家的？」叔弼咆哮著問道，竟將幾名資歷尚淺的刺客震倒在地。

但一眾刺客無人回答。

「是不說，還是不能說？」叔弼再問。

「跟將死之人說再多都是白說，兄弟們，上！」其中一名縣令高呼的同時，身子卻在向後退。

然而，還是有不少人聽從其號召，一同衝向叔弼。

十數刀劍一同或刺或劈的衝著叔弼而來，但他卻毫無懼色，刀光劍影，反倒讓他精神抖擻起來。

只見叔弼掃視了一圈，馬上選中其中一個決心不足的劍客，迎著其劍鋒衝了上去。劍客怕被奪劍，握柄的雙手握得更緊，但叔弼的右手並不是向著劍而來，而是握成拳，直擊向劍客的面門！

「一個。」叔弼馬上轉向身旁的刀客，佯作揮出左拳，令刀客嚇得自壞架勢，而那左拳亦沒有打中他，而是停在了半路，像為右手探路一般。

砰！

刀客的目光完全被那空揮的左拳奪去，所以來不及發現循著同一線路而來的右拳，被硬生生地打中了，又是面門！

「兩個、三個！」在叔弼喊出的同時，他已迴身踢飛從後偷襲卻未有放輕腳步的莽夫。

不過是一瞬之間，僅以拳腳為武器的叔弼，已擊倒了三名手執刀劍的刺客，而且不是普通的擊退，而是直接擊暈，並讓他們無法再行反擊。那兩個面門中拳的，不但牙掉了好幾顆，鼻骨被打斷內陷，連眼眶都因骨折而腫起，遮住了大半視野，再加上直搗大腦的震盪，更是讓他們昏死在地。而被踢飛的，腰背亦受了重創，肋骨自然是折了好幾條，甚至連脊椎都有輕微骨裂，恐怕下輩子都無法再好好走路。

眾刺客見狀，都不禁一愫，他們早聽聞孫翊勇武無匹，有其兄長孫策之風，但都只以為是個擅長騎術槍術的將領，卻沒想到即使兩手空空，亦能將有備而來的刺客打成如此重傷。

這班刺客並非平庸之輩，他們大多是山賊出身，或是望族的護衛，身手比起一般官兵都要高出一大截。

但這樣的一班人，在全副武裝之下，卻被叔弼震懾住了，無人再敢靠前。

「我再問一次，你們是誰的人？」叔弼再次高聲問道，眾人都不禁後退了數步。

「你們還等甚麼？全部一起上呀！」其中有名衣著華貴的刺客，聲嘶力竭地對著廳上的另一邊吼道。

那餘下的一半來賓，有三分一被這一聲嚇跑了，剩下的，都抽出各式長短兵器，一同圍住叔弼。

一場三百來賓的宴會，其中竟有逾一百人是刺客。

想到這，叔弼不禁笑了，然後道：「張紘那傢伙總說，大哥曾在廬江以二百騎擊退五千大軍，算上來也不過是以一敵二十五，而我現在可是以一敵百，若我這都能活下去，就足以證明我超越大哥了吧！」

話畢，叔弼撲向刺客堆中，一眾刺客反應不及，又被擊昏幾個。

叔弼熱血上湧，已再無閒暇去細數倒下了多少個，只知道當整個廳堂上，僅餘他一人仍屹立時，才算結束。

於是，他再次撲向人堆之中，引起一陣又一陣的慘叫和悲鳴。

驀然，一把與整個殺戮宴會氣氛大相逕庭的聲音，冷冷地宣道：「不要硬拼，先斬傷他手腳！」

瘋亂的宴會隨之冷卻了下來，刺客們放下獵物才有的驚慌，再度拾起獵人應有的沉著。他們的眼神，亦從叔弼的要害，轉向他的手腳。

叔弼因為血氣上湧，所以沒對那把熟悉的聲音作出反應，而是專注於眼前。由於氣勢變得均衡，叔弼亦無法奢望能從刺客手上求得一把順手的好刀，於是隨手拔起一把插在地上的棄刀，稍稍揮了揮，太輕，恐怕承受不了叔弼幾下揮劈，但也沒法子了，只好先將就用著。

果然，不過劈了三人，刀刃已經捲了，叔弼硬著頭皮用這把鈍刀再敲暈了六、七人，而刀手們似乎都察覺到叔弼最順手的是刀，所以不輕易靠近。

驀然，一支利箭從叔弼左後方射出，他勉強躲過後，便將手上的鈍刀飛擲過去，砸得那弓手頭破血流，下一瞬間，叔弼已閃到其身前，打暈了他並奪去其弓。

眾人怕叔弼就此拉開距離，便趁他未及瞄準之際撲上，卻沒想到叔弼竟不作瞄準，用弓抵住撲來之人，然後拉弓，放箭，就已將之射殺。

一般人用弓，都是遠程狙擊，但叔弼卻將之當成是一般近戰兵器，眾人向他撲來，反倒省卻他瞄準的功夫。然而，那弓手刺客也甚是吝嗇，只帶了十根箭來，不過，要暗運入宴會，的確無法帶太多。

不算那弓手自己射失的一箭，叔弼只有九箭在手，他頭四箭射死撲來的刺客，成功嚇退了其餘的人，因為他們也發覺，叔弼只餘下五箭，心中都不禁盤算，只要再有五個沒腦筋的替死鬼上前耗掉他的箭，就不必再怕。

只是，他們都沒想到，他們當中，竟大都是自以為精明會盤算的懦夫，而沒腦筋的，早就犧牲了。

見眾人不動，一直藏身後方的另外兩名弓手按捺不住，交換了眼色後同時站了出來，拉弓瞄——

嗖！嗖！

兩箭應聲射出，正中那兩名弓手的額頭。

叔弼手上還餘下三箭。

而刺客方面，有膽色的人卻已幾乎耗盡。

雙方僵持了一會，終於有人忍受不住，向大門方向遁逃，然而，叔弼卻不打算放過他。

只見叔弼拉滿弓，箭頭卻不知為何，不是正對逃走的刺客，而是微微朝下。

利箭射出，軌跡果然偏下了，然而，在箭快將插入地上時，箭頭卻奇妙地揚起，然後箭肚觸地，立馬魚躍般彈起，直接射穿了那人的身體。

這箭法雖奇，但席上一眾刺客卻早已見怪不怪。

就在眾人目光被叔弼那箭引開之際，他閃身來到一名他覷覦已久的刀手身後，向著其後頸手刀一劈，由於用力過猛，直接就劈斷了那刀手的頸椎。

在那刀手倒下的同時，叔弼手上再次有了刀。

然而，對方在得高人提點後，都已經知道要如何對付叔弼，而且比起持弓，持刀的他亦顯得沒那麼可怕。

混戰再起。

刺客們的每一次攻勢，都是瞄準叔弼的手腳，縱使他身法再靈活，也沒法在數十尖刃鋒口中安然無恙，他的手腳已添上了多道傷口，鮮血緩緩流出。雖然因而讓叔弼稍稍冷靜，不再熱血上頭，卻也同時帶走了不少力氣。

叔弼漸漸無法再單靠一擊就收拾一人，戰況亦慢慢變得膠著，叔弼需要顧及的方向，亦由本來單純的前方，變成了全方位。

但叔弼仍是硬生生的打死打昏了逾半刺客。他們的血，混上叔弼自己的血，將身上的官服染成了紅色，再變成了黑色。

然而，失血過多，終究還是影響了叔弼。

在叔弼再次換刀的一刻，才發現那刀手並沒完全失去意識，他用了最後一口氣緊握著刀，讓叔弼無法順利奪走，爭持不下的一刹那，另一把刀瞄著叔弼的右手手腕而來。

鏘！

叔弼的手腕被削走，斷骨外露，血如泉湧。

一眾刺客無不感嘆，這場他們生平最血腥殘酷的苦戰，終於告一段落。

但，戰鬥是雙方的事，只有雙方都停下，才會告終。

叔弼未有停下，他咬緊牙關，就直接用自己那外露的斷骨，刺向斬斷他手腕的刺客，由眼眶刺入，直沒腦門。

這一刺讓叔弼的皮肉都翻了開來，勇武如他也不禁痛苦地大叫。

但，叫痛過後，他的雙目又再搜尋下一個目標。

叔弼這一著，讓在場一眾刺客都僵住了，他們有的曾隨曹操出征，聽聞過典韋的壯烈；有的跟從過劉備，見識過張飛的萬夫莫敵；亦有的親身迎戰過孫策，親嚐過他的蓋世勇武，卻從未見過聽過如此噁心而且不要命的武人。

不，在他們眼中，叔弼已經不能算是人，他是妖，是鬼。

即使明知叔弼已是強弩之末，但已經沒有人再敢上前，他們或許不怕被刀斬被劍刺，卻不想被一根尚連在手上的斷骨刺死。

隨著一眾刺客停下步伐，叔弼才有了餘裕視察四周，此時，他才發現自己的親信邊鴻早已趕到。

「邊鴻，孫高和傅嬰呢？」叔弼問。

「他們守在太守府。」邊鴻用那熟悉的聲音冷道。

「好，那我背後交給你了。」叔弼熱血再燃：「只要我們活到最後，就會成為超越我大哥和瑜兄的傳奇了！」

然後，叔弼便將背後付託給邊鴻。

邊鴻冷靜地走到叔弼背後，然後——

一劍刺穿叔弼的心臟。

「為、為甚麼？」錯愕的叔弼，用上最後一口氣問道。

「大人，不，叔弼啊，山越，早已不單單是亡國之輩的名號了。」邊鴻強忍淚意答道。

叔弼聽到，卻尚未來得及理解，眼前已變到只餘下黑暗。

光、聲音、風、溫度、血、心跳、話語、意識、思念，所有所有，都靜止了，都停下了。

長兄為父 二十七

腥惡的液體噴湧，將世界染成一片血紅，接觸過空氣後，又漸漸凝成一團團暗紅的結塊，混入了斷斷續續的空白，最後，化成吞噬一切的黑。

無垠的黑。

冰冷的黑。

寧靜的黑。

包容一切的黑。

然後，那深埋在黑暗深深處的銀色種子，開始萌芽。

萌牙，成長，開花，結果，再重新化為人形。

這是，靈魂離開肉體的儀式。

這是，死亡。

重新成形的叔弼呆了好一會才回神，只見大廳上已空無一人，空餘一地殘刀破劍、爛案碎席以及刺客的屍骸。

「沒想到這麼快就和你再次見面了，叔弼。」一把曾經熟悉得厭煩的聲音，一把以為再也聽不到的聲音，響起。

叔弼循聲望去，果然見到一副曾經熟悉得厭煩的面容，一副以為再也看不到的面容——伯符。

他坐在一張倖存的案上，左肩頭上站著一隻鸚鵡，右肩頭則趴著一隻虎紋貓，他翹著二郎腿，正細讀著一張紙條，另一手則握著一個打開了的錦囊。

「大哥？你不是死了嗎……」叔弼恍然大悟，望向自己那半透明的雙手，右手的斷口已不再流血，在生時的回憶如決堤般從心深處湧出，過了好一會，承受住了記憶衝擊的叔弼才問道：「你，是來復仇索命的嗎？」

符將紙條疊在錦囊上，揉了揉，將兩者揉成四散的光點，然後望向叔弼，淡淡地道：「不，無常只超度，不索命，而我個人的話，根本沒想過復仇，我只是想知道你殺我的原因。」

「無常？那是甚麼東西？」叔弼詫異地問道。

「就像是靈魂的搬運工吧？」符晃了晃手上那化了大半的錦囊，道：「我因為爺爺擅自許下的承諾而成為了無常，然後按我的靈覡所説，你也將會因為那承諾而成為無常。」

「甚麼意思？」叔弼一臉茫然。

「要解釋太麻煩了，就等你的于吉來找你時，你再問他吧。」

「可是，我還有很多事未做，丹楊的事，山民的事，還有剛才的仇亦未報，還有、還有……我妻子又怎麼辦？」一陣恐怖的無力感湧向叔弼。

「我何嘗不是？」符苦笑道。

叔弼無言以對，符亦不搭話，就讓空氣僵死，好折磨叔弼的心，這是他當初教導年幼的叔弼時慣用的伎倆。

「我、我不是……」叔弼咬牙切齒，拳頭緊握。

符卻故意打斷他的話，道：「死這回事，我經歷過，而且我亦一直看著你，所以我很明白，很能體會你的心情。但靈魂離開皮囊後，人間的一切，都與你無關了。」

叔弼突然渾身發抖，同時咬破了自己的唇，指甲亦深深地陷入了皮膚。

符卻似乎沒發現，或者說，並不關心叔弼的怪異舉動，反倒繼續自說自話：「不過你不必擔心，你不用像我當初那樣盲頭烏蠅般去面對這靈魂的世界，我會為你指引方向，這樣你就能少走很多冤枉路。不過，你還是要先答我……」

「你又想將我變成你的分身傀儡嗎？」這次，換成叔弼打斷符的話。

符不滿地皺了皺眉，問道：「甚麼意思？」

「我好不容易才掙脫你的束縛，你現在又想再為我套上項圈嗎？」叔弼冷道。

「這就是你殺我的理由？」符一臉不解：「明明束縛著我們的是老頭子，你怎麼將這帳算到我身上了？」

「你是否不記得，老爹死時，我才七歲。」

「那又怎樣？他和姓張那老頭，從年幼就開始控制我們。」

「你死那年，我十六歲。」

符不耐煩地問道：「所以呢？」

「老爹束縛我，從兩、三歲算起，到他死時也不過四、五年。但我在你的魔爪之下呢？可是足有九年，整整一倍長！」

「說得我好像和老頭子一樣，你說說，我有像他那樣強迫你學習，強行為你選定前路嗎？」

「你以為我是為何學武學兵法？」

「那是因為你有天賦，而且你似乎也有興趣呀？」

「你有問過我的意願嗎？你知道當時的我，最渴望的，是做個獵戶嗎？」

「仲謀是船夫，你是獵戶，你們不單年齡相近，連兒時願望都同樣奇怪。不過，獵戶那種沒志氣的工作，我怎能放你們去做，畢竟……」

叔弼打斷符，代其答道：「長兄為父，對吧？」

話畢，叔弼身上開始滲出陣陣黑氣。

「那不就正好說明了，大哥你做的，和老爹做的，根本沒分別。」叔弼一字一字地吐出，身上滲出的黑氣亦越來越強烈。

符卻因為被叔弼的話語震懾住，沒有留意到叔弼的異樣。

叔弼則繼續傾瀉道：「我還記得，你當年怎麼痛恨地咒罵老爹，但你卻不知道，我亦同樣地在痛恨著你，咒罵著你！」

「你就因為這樣，所以才殺我？」符無力地道。

「怎麼可能……」叔弼亦突然軟了下來，道：「大哥你雖然不講理，不過也只是對我一個人的橫蠻，我還能忍，但你對山越的事……」

符插嘴道：「山越？那幫賊寇怎麼了？我們孫家的事與他們何干？」

「就是你這種不聽別人説話的態度，我恨透了！」叔弼隨之失控大吼，身上噴湧的黑氣化成了陰氣，並反過來開始纏繞叔弼。

只見叔弼的皮膚變得蒼白，血管亦變成了暗紫色，粗壯得凸出皮膚表面，並開始詭異地蠕動著。

「叔弼！你怎麼了？」符驚慌起來。

「恐怕這就是左慈那童顏老頭所説的——厲鬼。」鸚鵡禰衡説道，翊則是嚇得躲到遠遠。

叔弼咆哮過後，便跪倒在地，雙目緊閉。然後，他再張開雙眼時，竟亮出血紅色的光芒，牙齒也不經不覺的變尖了。

他血紅的雙瞳掃射著四周，然後停留在符的身上，他的牙關和雙手詭異地抖動，本來斷腕處的臂骨，竟長了出來，並慢慢化成一把猙獰的骨刀。

不見叔弼雙腿發力，他就已經閃到了符的身前，骨刀一揮，幾乎剖開了符的胸膛。

符後退到角落，視察了自己的傷口後，慍怒地道：「你這小子，認真的嗎？」

叔弼不理，嘶叫著撲向符，然後再度揮舞骨刀，卻不再是一刀而已，刀勢後還隱藏著追擊的餘力，就像在回答符：「這一招才是認真的。」

「嗤！」符雙手化作刀形，為了不讓叔弼追擊，打算直接用力去破其刀勢。

三刀交錯，刀氣湧起，威力之盛，連整個大廳都動盪了起來。

叔弼一直以膂力見稱，甚至偶爾能壓倒伯符，所以符亦不敢怠慢，雙刀齊下，以為足可劈崩叔弼的架勢。

但他卻忘記了，那個能偶爾壓倒自己的叔弼，是十六、七歲的叔弼，而眼前的這個叔弼，已是弱冠之年。

歲月能填窪，包括人與人之間的差距，更何況十六、七歲，正是少年成長為男人的歲月，這年紀一年的成長，是成人的數年都無法比擬。而叔弼渡過了四個這樣的年頭，他的膂力早已不僅僅是能偶爾壓倒伯符，而是完全壓過了他。

單憑力氣這一點，叔弼早已是江東之最，甚至是全天下最頂尖的一列。

符透過雙刀傳來的震幅，深深感受到弟弟的成長，叔弼已不是他能輕易欺負的少年，甚至能反過來壓制自己。

符雖然被叔弼的成長嚇了一跳，卻不知為何心中又泛起了一陣欣慰。

但這份欣慰卻沒有顯眼到讓叔弼察覺，他仍然恃著力氣，將符壓向絕境。

然而，武人之間的對決，卻不單單講究力氣。

符借助叔弼的蠻力，讓自己蹬到牆上，成為一個居高臨下的架勢，在加上體重的俯衝下，足以讓符的力量翻好幾倍。

但，叔弼亦在一瞬間理解符的策略，他馬上放鬆了右手，讓符無力可借，直接仆倒在地。

但，叔弼畢竟初為亡魂，他還未知道，靈魂重量極輕，若不使點伎倆，即使用盡全身去俯衝，亦無法增加太大的力量，符所做的，只是誘敵。

「臭小子，徒有一把邪門又帥氣的骨頭，卻沒搞懂人鬼之別。」符在叔弼鬆開之後，不但沒隨即仆下，反倒像懸空了一般。然後，符旋著身子，雙手同時化成牆形，全力撞向叔弼。

只見叔弼直被撞向大廳的另一端，途中還撞上了幾根柱，然後才倒臥地上。

叔弼因為有一手變成了刀，所以只能狼狽地爬起身來，但他的眼中的血紅卻稍稍退卻，多了分理智的光芒。

「對啊，我已不是活人……所以人間的規矩亦不管用了。」叔弼望著自己的右手，凝望了一會，那骨刀竟開始縮小，同時化成了五指的形狀，最終變成了一隻沒有皮膚，卻又飽滿的骨手。

叔弼身上冒出的陰氣亦開始收斂，並隨著他的意識，開始在身體上四處游走。

「媽的，你這臭小子竟然剛死不久就駕馭了靈氣，是否太過分了？」符興奮又自豪地笑道。

「我還不太懂得控制這東西。」叔弼身體中的靈氣不受控制地亂竄，他經歷了幾番掙扎，才終於壓制住，而符則一直在等，甚至偶爾提點幾句。

終於，叔弼完全駕馭住那股陰氣，意識瞬間擴大了好幾重，他不必細看，似乎已能掌握整個大廳上，案席與屍體的分布。然後，他又將意識收斂到自身體內，感覺著自己的每一根骨頭，以及每一寸肌肉，甚至連內臟，都不知不覺地開始重構。

「怎麼回事？」符雖然沒能看透叔弼的轉變，卻仍察覺到不妥：「這不是單純的鬼化吧？而且還沒人指導你，你怎麼會無師自通？」

「這就是你所看不起的山越信仰。」叔弼徐徐答道。

「山越信仰？那是和黃巾一樣的邪教嗎？」

「閉嘴。」叔弼閃身來到符的跟前，甩了他一巴掌，竟將符甩到另一幅牆上去了。叔弼再道：「你明明都成為了甚麼鬼無常，卻似乎從未正眼看過這靈魂的世界，就像你身在江東這山越之境，卻從未認真看待過山越一樣。」

「那就讓我來聽聽你說，那山越到底是甚麼鬼東西吧？」符強忍那一巴掌帶來的痛楚與衝擊，勉強地站了起身，向著叔弼挑釁地笑道。

叔弼再閃身到符身旁，打算再甩他一巴，但符早有準備。

然而，叔弼揮巴掌的速度遠超符的預期，即使他早作準備，仍是被結結實實的巴向了另一堵牆。

「待你知道甚麼叫尊重的時候，我再告訴你。」叔弼冷冷答道。

不知為何，叔弼這話，比那兩巴掌都還讓符生氣。

「你這種目無尊長的人，也有資格說尊重？」符咬牙切齒道。

「哼，聽聽你的語氣，明明都死了，卻還是成了老而不。」

叔弼的話，猶如寒冬中直澆頭頂的雪水，讓符不禁心寒抖顫，喃喃自道：「對啊，說這種話的我，與老頭子及張老頭有何分別？」

然而，縱使符心裡明白，但因為作為大哥的面子問題，依然倔強地道：「別將我和兩老相提並論，我所說的尊重可不是他們那甚麼君君臣臣父父子子的一套！」

「呵？你剛才不是說尊長的嗎？」早已慣了伯符這種死要面子態度的叔弼，訕笑著問道。

二十七 長兄為父

「我說的是武人間的尊重。」符別過臉道：「甚麼尊長只是你聽錯而已，哼！」

「就算死了，你面對弟弟時嘴硬的毛病還是改不掉呢。」叔弼擺好架勢，右手的骨掌正蠢蠢欲動：「但好說不說，偏偏要說是武人間的尊重，你就這麼想敗在弟弟手上嗎？」

「嗤，我會死還不是多得你。」符也扎好馬步。

「那……只不過……」叔弼擺好的架勢隨著愧疚而散了。

「哎哎哎！你幹甚麼呢？好好的氣勢都沒了，那些事先擺開一邊，我們打完這場再說！」符生氣地道：「要出盡全力啊！」

「真是的……」叔弼苦笑，然後重新聚好架勢：「知道了！但你能應付得了我的全力嗎？」

「別小看你大哥我啊，我已當了好一陣無常了。」符笑說：「而且我還有絕招未使出來呢！」

「來了來了，你的絕招來了。」鸚鵡禰衡飛回符的肩說，沒好氣地問：「這次想使怎麼樣的蝨樓呢？」

「不是說你啦，別打擾我們兄弟決戰。」符掃了掃肩膀，趕走了禰衡。

「你不會是想用那招吧？左慈才教沒多久，你真掌握了？」禰衡道。

「你太不了解我們武人了，這些絕招的成形之時，都是在決鬥上。」符望向禰衡，露出一副著他放心的笑容，然後再轉向叔弼道：「臭小子，你真的真的要全力以赴啊，不然等會輸了別找藉口！」

「嗤，以前會輸你，只是因為我未長個子，當我們都一樣成人後，我就再沒有輸給你的理由了！」叔弼笑著答道，然後他的骨手開始長出幼骨，包裹全身，然後化成一套骨甲，右手亦化成了一把長柄大刀。

「真沒想到，我孫伯符竟然會在面對自己的弟弟時緊張得飆冷汗。」符心想著，同時雙手向前伸，雙掌緩緩的釋放靈力，只見靈力慢慢凝成一團，再逐漸成形，凝成人形。

只見那人形與符一般高，甚至連髮型身材都一樣，只是臉孔輪廓有點模糊，並微微發著靈魂的光芒，但感覺，就是符的分身一般。

「氣煉術，我形！」隨著符一聲吼，他的手不再釋出靈氣，而那分身亦完全成形，並與符同步地扎起馬步，然後二人四手，各自化成刀、槍和劍、戟四形。

「竟然真的用出來了……」禰衡嘆道：「連我都還未能掌握的……術。」

「這算是人多欺人少嗎？」叔弼笑問。

「別被他的外形騙了，這不過是我的兵器而已。」符說著，而他的人形則先一步出擊，提著刀和槍攻向叔弼。

人形先刺出一槍，叔弼直接挺大刀迎擊，想將之震開，卻沒想到剛碰上那槍，槍身就已化為無形，令叔弼的劈擊變成揮空，還令自己失了平衡，而人形亦沒放過這機會，衝到叔弼身側，從上而下地揮刀。

卻沒想到，叔弼反將揮空的刀劈向地上，並借撞擊力將大刀直向上挑，挑走了人形的刀，然後再旋身橫劈向人形。

人形竟就此被劈成兩半，叔弼錯愕地問道：「就這樣？」

「畢竟我也是第一次成功用出來，控制得還不是很好，不過靈體嘛……」只見符雙手一上一下地拉遠，再合起來，然後那被劈開的人形就復原了，符道：「別把他當成是人會好一點。」

說畢，符亦加入了戰團，二人四手如雨般灑落在叔弼身上，他只能勉強擋住槍和戟的攻擊，餘下的刀劍已無暇再顧，身上的骨甲或刺或劈的，留下了不少破損。

二人都沒打算停下來，全力地向著對方揮舞著刀劍，當刀劍都被挑開劈碎後，就換成拳腳。

就在二人互相在對方臉上毆了重重的一拳時，大廳的正門傳來一把聲音，喊道：「你們在幹甚麼！還不停手？」

兩兄弟和看戲的禰衡一同聞聲望去，來者竟是叔弼的妻子徐翌。

而她，正用含淚的雙眼瞪著叔弼。

不是瞪著他那躺在地上的屍首，而是瞪著他的亡魂。

真相 二十八

符錯愕地望望自己的弟婦，望望叔嵤的亡魂，再望望地上叔嵤的屍首。

叔嵤發現符的奇怪態度後，才察覺有異，神色緊張地問：「小翌……你、你也被害了嗎？」

「不，因為我是山巫，所以能看到亡魂而已……」徐翌一邊用哭腔答道，一邊走向叔嵤，同時張開雙手，想將自己的丈夫擁入懷中，卻已無法再用肉身觸碰他，兩手掙扎地在叔嵤的靈體上揮來揮去，莫說觸感，連溫度亦只有幽幽的清冷。

無法再次擁抱丈夫的徐翌，跪在地上，崩潰大哭。

「抱歉……他們比想像中人多，而且邊鴻那混帳竟背叛了我，所以我才會不敵的……」叔嵤單膝跪了下來，想用左手輕撫妻子，卻發現同樣無法觸碰。

明明近在眼前，卻已遠於天邊，連叔嵤亦忍不住落淚。

符見狀，便別過臉去，卻發現自己的臉頰亦流淌了一行濕潤，他想趁沒人發現時快手拭去證據，但禰衡早已將一切看在眼內，還神乎其技地用鸚鵡的模樣，露出了一副嘲笑的表情。

符以為二人還要哭一段時間，便打算找個不顯眼的角落休息一會，卻沒想到，剛邁出步伐，背後就傳來一陣強烈的擤鼻之聲。符回身望去，只見徐翌正用袖子擦拭橫流的涕泗。

「你怎麼敢比我先死！」徐翌頂著一雙哭腫的眼睛罵道。

「抱歉……」叔弼垂首道。

「道歉有甚麼用？早叫你小心的了。」徐翌本想拉住叔弼站起身，卻發現拉不著，只好自己爬了起來，然後拍拍身上的灰塵，用稍為沙啞的聲線說道：「不過現在不是煽情的時候，你要逃了。」

「逃？為甚麼？」叔弼不解。

「我之前就發現你身上被落了道楚神的契約，當你死後，他們就會來找你。雖然當我在你舌底下烙印後，你已是山越人，死亦是山越鬼，不過楚神狡猾，在靈界養了一班代行使者，大神卻只有我們這些山巫，如果他們來抓你，我也攔不住，所以要馬上逃回山裡，有了群山的眷顧，楚神使者就無法來犯！」徐翌說著，同時走向門邊，四處視察，眼神不經意掠過符，便向他點頭打了聲招呼，然後繼續警戒四周。

「那個……弟婦？」符道。

「孫策大哥，我叫徐翌，或者像大嫂那樣叫我小翌就行了。」徐翌向符行禮道：「不必驚慌為何我會認識你，其實我在婚禮時已看到你，不過當時不方便與你打招呼。」

「啊……這樣啊。那你也不必驚慌，其實我大概就是你所說的楚神使者。」

徐翌此時才恍然大悟，擋在叔弼身前，慌張地道：「對啊，你可是無常啊，莫非你們孫家也是靈巫一族？」

「甚麼靈巫一族？不是這麼一回事，只是我們幾個孫家男丁，都被爺爺賣給了司命。」符攤出雙掌，試圖向徐翌展示自己不打算傷害對方。

「那是甚麼一回事？」叔弼道：「我怎麼沒聽說過？」

「這也是我早前從老爹的亡魂處聽來的，說爺爺曾和司命郎有過交易，用三個瓜兒換來帝王之命。而那司命郎就是楚神司命，而瓜兒其實是指娃兒，也就是說，爺爺他用上了老爹和我……」符舉起第三根手指道：「現在再加上你，三個亡魂獻給司命，以換取其餘子孫登上皇位。」

叔弼一臉難以置信，無言以對。

徐翌卻狐疑了起來：「三條人命就能換上，帝王之命是這麼廉價的嗎？」

「不知道，只是我亦不完全相信爺爺就是了，說不定背後還有甚麼隱藏條款。」符道。

「那我們的犧牲，都是命中注定的？」叔弼問。

「死亡的確是命中注定，只是時間和方式，都沒有所謂命定一說。」徐翌答。

「不，最起碼，我的死就是命中注定的。」符道。

「可、可是……那一箭只是意外……」叔弼接近崩潰，雙手扶著頭，難受地道：

「我、我只是……」

「我知道，你並不是故意要我命的，只是你用弓用得太狠，才會在那種時刻壞掉然後射歪。」符淡然笑道說：「所以說，你不過是令我受傷之人，命運才是殺死我的兇手。」

「甚麼意思？」叔弼與徐翌同聲問道。

「我這陣子，一直在調查誰是殺我的真兇。」符娓娓道來：「因為司命曾告訴過我，派刺客殺我的人，正是我兄弟。

我從記憶、從舊地，再從你們各人身上調查後，就能推斷出，一眾兄弟中，不計公瑾的話，自然是箭技最好的你嫌疑最大，而最後亦藉著你的山越箭法，證實了下手的人確是你。

兇手確認了，亦的確是我的兄弟，還是我曾自以為關係最好的三弟，你。」

叔弼愧疚地垂首。

「但這說不通啊，那為甚麼司命要說是你兄弟派刺客殺你，而不直接說是你兄弟刺殺你？」徐翌狐疑地道：「而且叔弼他也不是直接殺死了大哥你，而是拖了百日後才傷口併發的呀？」

「沒錯。」符欣慰地笑道，然後續道：「所以，叔弼，你不是殺我的人，亦不是策劃刺殺我的人。或許你要為射傷我而道歉，卻不需背負弒兄的罪孽。」

「可、可是！」叔弼想說些甚麼，卻被符制止了。

「你不想知道，誰才是派刺客殺我的幕後主使嗎？」符說：「雖然嫌疑人也只餘兩個而已。」

「兩個嗎？」叔弼苦笑：「大哥你是不是太過相信瑜兄了？一直以來，感覺他比我們都更像你的兄弟。」

「我和他的關係一言難盡啦。」符道：「而且我的調查亦顯示了他並無可疑。」

「那……幕後主使，就只能是二哥了。」叔弼難過地道。

「你還說我，你不也一樣，太過相信四弟了嗎？」符苦笑道。

叔弼錯愕地望向符，然後結巴地道：「但明明……殺了大哥你的話，最大得益者就是二哥。」

「那你知道嗎，其實季佐一直與曹操那邊有書信來往。」

「這……只不過是他行動不便，所以喜歡到處交筆友……」

「你知道他來往的對象是誰嗎？」

「是誰？」

「郭嘉。」

「那個算出你會被刺殺的傢伙？」

「或者，根本就不是算的，而是他和季佐一同策劃，不過我們無從得知。」符道：「只是種種跡象都表明，曹操一方是有參與其中。」

「你是說……季佐他勾結曹操害你？這怎麼可能？他為甚麼要幫曹操啊？」

「說不定，他不是在幫曹操，而是為自己。」符突然問道：「你還記得他的大願嗎？」

「匡扶漢室？」

「沒錯，所以說他做的一切，私通郭嘉，代替你娶曹操的族女，都是為了接近曹氏勢力，為他朝上京勤王而鋪路。」

「利用曹操，最後除掉曹操？」叔弼錯愕不已：「季佐雖然聰慧，但亦不到這般深城府吧？」

「弟弟的成長總會超乎兄長的想像。」符笑了笑。

叔弼再次無言而以對。

「你別再怪責自己了，我被行刺的事，其實不單單是季佐的布局，還摻雜了不少意外，才會發生。」符道：「你還記得當時我為何要去打獵嗎？」

「聽過二哥說，是為了視察秣陵，那座你們一同相中的龍蟠虎踞之城。」

「那是順道而已，最初的原因，是小尚香長身子，本來的狐裘已有點穿不下，所以叫我去幫她打件新的獸皮回來。」符微微笑了笑，然後續道：「但這也不過是起因，畢竟以我當時身分，就算是狩獵也有侍衛同行，理應不會如此輕易被行刺……」

「……逐日！」叔弼彷彿明白了甚麼：「牠……還有瑜兄的奔月，不，應該叫回牠們的全名，爪黃逐日及爪黃奔月。都是曹操送的，是他那匹儀仗馬——爪黃飛電的子嗣。莫非贈馬也是季佐和郭嘉的布局？贈一匹千里馬予總喜歡單騎冒進的你，就是為了實現那郭嘉的預言？」

「沒錯，而且不單單是行刺的布局，還是一計挑撥離間，贈馬名義上是曹操為了向我示好，卻將作為君主象徵的儀仗馬各送了一匹給我與公瑾，實際上就是想讓我對公瑾心生猜忌，亦讓公瑾思索自立之道，為了煽動我們對立而贈的。」符續道：「不過逐日雖快，還是要加上當時我將親衛隊派去協助公瑾練兵，自己又換了一批只騎得了下等馬的新兵當侍衛，才會讓我有落單之機。」

二十八　真相

「但當日我是聽到孫朗的情報後，才得悉有人打算刺殺你。」叔弼道：「而我也是跟上去之後，才發現那是山民派出許貢的手下，想要給你一個教訓……這不可能是季佐的安排。」

「我早前才知道，原來季佐一直在暗中差使孫朗。」符嘆道。

「那山民會得知大哥你的行蹤，莫非就是季佐散布？」叔弼驚愕地道：「等等！難道說，他早就知道我與山民的關係，甚至算準我會在山民威迫下向大哥出手，才會著孫朗通知我？」

「畢竟他筆友遍天下，認識幾個山民也很合理。」符續道：「這樣鋪出來說，整件事的脈絡都釐清了，雖然的確是季佐的指使，以及你下的手，但過程中幾乎每個兄弟，包括我自己在內，都有份推動，才會發展成這最終局面。何況，即使我躲得了這一箭，亦躲不了許都的五十里藏兵洞。或許就如那郭嘉所說，一切一切，都歸咎於我的輕而無備。雖然司命想讓我認為季佐是真兇，但他只是設局，真正害死我的，是我的性格、我的命……是我自己。」

叔弼望著符那落寞的神情，只覺得極之不協調，他從未在這大哥臉上見過這樣的表情。這不是他印象中那無所不能的破虜將軍孫策，卻更像是一個有血有肉的人，一個拼命為自己抹走罪孽與自責的哥哥。

「說起來，叔弼你真是娶了位賢明的妻子呢。」符望向本準備說些甚麼的徐翌，並悄悄豎指於唇前，示意她別作聲。

「沒錯，只可惜……」叔弼搖頭，無法再說下去。

「起碼你們曾經相愛過。」符仰天遠望：「不像我和大喬那般……」

「在說甚麼呢？大哥大嫂不也是很恩愛嗎？」徐翌歪頭道：「她總在對我說她如何如何想念你。」

符瞪大雙眼，不敢相信自己聽到的話。

「而且我以為你們現在也經常聯絡。」

「何、何出此言？」

「因為她是你的靈巫呀？」

「怎麼可能，她明明看不見我……」符雖感到難以置信，卻又似乎察覺到那時的不妥：「不，她不是看不見我……而是不可以看見我？」

「又是楚神的規條啊？真麻煩。」徐翌皺眉道。

「你說……她想念我？」符問出口後，才發覺自己並不想從他人口中聽到答案，於是轉而問道：「不，算了。我只想知道，她現在在哪裡？啊，對了，她為何不再做我的靈巫？」

「她背棄楚神，改投化身成群山丘陵的大神了。」徐翌道：「一切都是為了你。」

「為了我？」

「為了找出讓你復活的方法，連神明都敢背叛，可見她真的已經不惜一切了。」

符只感到頭腦一片空白，大喬對他的感情、背叛神明的後果、群山丘陵的大神又是甚麼，他都無暇細想，此刻他只有一個念頭。

二十八 真相

「我要見她。」符揮去腦中的諸多煩擾，堅定地道：「帶我入山。」

「不行，你是楚神使者，是被群山丘陵所排斥的存在。」徐翌揪心地道：「你想見她，就只能等。」

「群山丘陵地底是甚麼鬼……」本想暴怒的符，看到叔㴬為了守護徐翌而閃身到二人之間，因而想起了叔㴬對他的指摘，便吞下了怒氣，再次問道：「告訴我……不，請告訴我，何謂山越吧。」

符的態度令叔㴬心中泛起一陣感動，那是他等了一輩子的說話。正當他打算開口時，徐翌卻擋在了他身前，道：「我們不能無條件將自己的情報告訴楚神的使者，除非你答應我們，不從群山手中搶走叔㴬！」

「這可難辦了，畢竟我是受命而來，這樣無緣無故就放過他，要怎麼跟上面交代……」符口裡如是說，臉上卻掛著拼命地思考著如何鑽空子的表情。

「不能無緣無故的話……」叔㴬望著自己的骨手，突然靈光一閃：「那不如，繼續剛才的對決。」

符瞪大了眼睛，笑容不禁浮現出來，讚揚道：「對啊，如果是全力打過一場，即使我贏了，也可以說你們派了援軍來，我不得已只能撤退！」

「哪有這麼麻煩，我會直接打贏你。」叔㴬自信地笑道，然後扎起馬步。

「哼，看我這大哥好好教訓一下你這不知天高地厚的小子！」符也笑了，同時擺好架勢。

「等等、等等！怎麼說著說著，你們又要開打了？」感到莫名其妙的徐翌衝到二人中間，慌忙地想阻止二人。

「小翌，放心吧，這只是場普通的兄弟幹架。」叔弼溫柔地道。

「真的？」徐翌狐疑地問。

「只是想分個高低而已，我不會打得他魂飛魄散的。」符亦笑道。

「好吧……要適可而止啊……」徐翌只好退開一邊。

「武人的腦袋都不知裝甚麼的，對不對？」禰衡想飛到徐翌肩上，嘲諷道。

「就是。」徐翌警戒地道：「不過我亦同樣搞不懂那些隨意變成雀鳥的陌生男人的想法。」

「呵，你還能看穿我真身啊？真有趣。」禰衡笑道：「但放心吧，只是變成鸚鵡比較輕鬆，沒有不軌企圖。」

說罷，二人便將注意力放到孫氏兄弟身上。

「一擊定勝負吧。」叔弼提議道。

「正有此意。」符答道。

然後，叔弼將身上的骨甲收斂回骨手之中，卻不見骨手有增大，反倒是顏色開始改變，像一層一層加深的黑，表面亦漸漸變得平滑，甚至如鏡一般開始產生倒影。同時，其周邊開始閃爍著片片燐光。

叔弼將他所能運用的每一種每一分力量，都凝聚在此拳，以及發力揮拳的腰腿之上。

符亦如同呼應叔弼一般，將所有靈力都凝聚在拳頭及腰腿之上。

本來，這種傾注一切的一擊，極不適合用於決鬥，不但聚力耗時，而且只要沒能命

二十八 真相

中對方，幾乎就代表自己敗北，這不是比武的招數，而是單純的賭博。

但這種單純，碰上單純地只想分出高下的兄弟二人，卻變成了最合適的一招。

一拳了，高下分。

在此刻，符與叔弼，無論心神與力量，都凝聚成一點，彷彿世間萬物，都暫時與他們無關。

他們只想知道答案。

一個幼稚的答案。

一個只屬於兄弟間的幼稚答案。

誰更強。

一時間，雲和風都止息了，人間的喧鬧亦被隔絕了。

二人都已準備完畢。

他們以完全一樣的動作及姿勢，左腳踏前，腰轉拳發，擊向對方的面門。

山越之民 二十九

轟——

光芒四射，一聲完全不像拳頭擊中臉頰的聲音傳出，不太響亮，卻直撼心扉，連遠處山裡，都能感受到那陣陣鳴動。

靈力相撞的光華散去，二人交錯的身影逐漸顯現。

只見二人的拳頭都擊在了對方臉頰上，並維持著這姿勢站立著，猶如雕像般一動不動。

須臾。

符徐徐倒下。

接著，叔弼亦跪了下來。

勝負已分。

「可惡，我這大哥竟然輸了，真丟臉！」攤在地上的符不甘地道。

「我也不過是打架這一項超越你而已……」叔弼全身發軟，坐倒在地，笑著答道：「還有太多太多的地方，我仍不如你。」

「呵呵，你真的這麼想？」符得意地笑了笑。

「不過那些地方，你亦未必能比得上二哥和季佐就是了。」叔弼道。

「嗤，是你們這些弟弟太有出息而已，又不是我的問題。」

說罷，二人相視而笑，笑著笑著，就大笑了起來，就如當年。

就如二人仍未肩負起家族責任的當年。

叔弼雙手向後撐地，身子稍稍後仰，望向天際，道：「這樣你就不用煩惱如何交差了。」

「那你們可以跟我說山越的事了吧？」符轉向徐翌，只見她輕輕點了點頭。

然後叔弼便開始娓娓道來：「這要從我十二歲那年說起。你還記得那一年，你和袁叔決裂後，他曾聯同相熟的丹楊山賊去攻打我們嗎？」

「記得，那時領頭的正是祖郎，打得我好不狼狽。」符對那一役至今仍然猶有餘悸。

「那你知道，當時留在宣城的二哥被山賊圍攻之事嗎？」

「當然知道，幸好有周泰在，才保住了他，而周泰身上的傷疤，有一半是在那時留下的。」

「那你又知不知道，我當時也在宣城？」

符錯愕：「怎麼可能？那時你才……十二歲？誰會帶你上戰場啊？」

「明明那時的二哥也不過是十四歲。」叔弼稍稍不滿：「不過我是偷偷跟去的。」

二十九 山越之民

符扶額嘆道：「真不愧是你。」

叔弼淡然地道：「那時我還被山賊抓住了。」

符驚道：「甚麼！我怎麼不知道？」

叔弼笑了笑，道：「因為他們怕影響在前線的你。」

「那你是怎麼……」

「當時那支山賊的領頭人救了我。」

「那人是誰？」

「盛憲。」

「所以，那班並不是單純的山賊？而是山越的部隊？」

「沒錯，他們與袁叔早有協議，袁叔為他們擋住長江以北的敵人，他們則會為袁叔提供源源不絕的補給，以及在必要時，偽裝成山賊去做些見不得光的事。」

「難怪袁叔陣中有這麼多丹楊兵，而且見我打江東會那麼大反應……」符道：「所以你就在那時被騙，不，加入了山越？」

叔弼瞪了符一眼，然後徐徐說道：「成為山民可沒這麼簡單，盛憲亦只是作為引路人，讓我見識到何謂真正的山越之民。

外人說起山越，都當是百越、吳越、揚越、夷越、落難貴族、土豪宗民、山賊流寇等諸多居於山中之人的統稱，而且是帶著貶義的。但真正的山越，其實是源於春秋時的一方之霸——越國，越王勾踐的越國。

越國亡於楚國之下，之後楚國又亡於秦國之下，但越國遺民已無意再順從新國大秦，於是便遁入吳越一帶的山林之中，成為法外之族，逍遙之民，並自稱為山越。

我深受山越那種無拘無束的氣息吸引，為了成為山越的一分子，我經歷了諸多考驗，例如替他們深入險境救人以及……以及殺盡所有想帶著山越情報投靠曹操或袁紹的叛徒……」

「啊！那就是你在皖城屠城的原因？」

叔弼點了點頭。

「不過，亦的確是因為有丹楊那片山野在，北方那些軍閥才不敢隨意渡江。這事，雖不能說你沒錯，但終究是有理由的。」

「……再有理由，亦難洗脫我手上的血腥。」

「你起碼是為了大願，但我呢？」符想起陸氏一族及舒城，不禁望向遠方，須臾，才道：「所以你才恨我不聽你的說話，不去理解山越的真面目。」

「沒錯，我回到孫家後，一心想將山越的理念推而廣之，卻因你忙於征戰，不單不聽我之言，甚至在橫掃江東之時，殺了不少山越名士，加上東冶那次屠城，都令山越對你，對孫家產生了強烈的敵意。」

「所以，他們才要你伏擊我。」

叔弼再次點了點頭。

「不受拘束，自由自在地生活，這就是你的大願嗎？」符羨慕地笑著。

「在以天下為目標的你眼中，這只算是小願吧？」

「我願之大，就只在規模。雖說放眼天下，但我其實是打算打下天下後，坐一坐龍椅，就讓位給仲謀，然後我繼續去打，打匈奴、打烏桓、打西羌、打南蠻、打邪馬台，打身毒、打大秦……滿腦子只有打打打打，卻從沒有過真正的大願，連人是如何存活的，都不曾重視過，才會在無心之下，餓死了那麼多人。」符敬佩地道：「反倒是你們幾個弟弟，都有明確的抱負與願景，像你，是逍遙自在；季佐是匡扶王道；而仲謀則是放眼天下之外……你們這些才是身懷大願，而我？好聽點叫一方霸王，但其實就只是個屠夫，血灑遍地後，要如何栽培，如何扶植，我都沒有概念。」

符望著天空，頓了頓，才繼續說道：「所以公瑾才會這樣評價我們幾兄弟，你是勁風，仲謀是白雲，季佐是驕陽，而我，則是青空……」

叔弼不解：「是因為白雲、勁風與驕陽都在天空之下的意思？」

符笑了笑，道：「這樣想就太天真了，你說，天空是甚麼顏色？」

叔弼想也不想就答道：「藍。」

「那只是晴天的顏色。天空，在日將出時會泛白，日落時會染紅，入夜時會變黑，雨雪時會變灰……」符伸手向天，道：「天空，其實並沒有自己的顏色，只會倒映出身邊的色彩，就像我，在老頭子身旁是虎父無犬子，在公瑾身旁是雄姿英發的雙驕，在江東這曾經的霸王之鄉就成了霸王再世，說不定之後還會是仲謀的開路人……但，從來沒有一片只屬於我的，獨一無二的色彩。」

「那只是對世人而言，對我，對我們來說，你就是獨一無二的大哥。」叔弼用力地拍了拍符的後背。

符眼眶一酸，又要強裝瀟灑，便急急腳站起來，背對著叔弼道：「好啦，要說的都說完了，既然不能去山中找大喬，又完成不了任務，我就先去到處轉轉等消息。說起來，仲謀假裝出兵黃祖，似乎成功引了山越出來，接下來應該就會有場大戰，我應該有得忙的了。」

「二哥打黃祖，果然是拋磚引玉之計！他的目標果然是山越！」叔弼高聲道。

「等等……我仍是活人啊，大哥你說的這大事讓我聽到了行嗎？那不是孫家的軍機嗎？而且會不會犯了天規啊？」徐翌擔心地問道。

「就算是我對山越之民的一點歉意吧。」符苦笑道。

「謝謝你！」徐翌鞠躬道：「我答應大哥，待大嫂出山時，一定會通知大哥你的！」

「那就好。」符笑道：「那你們去通風報信吧，讓真正的山越之民避過這一仗，但最好別讓無關的山賊土豪也知道。」

徐翌用力地點了點頭，然後符便帶著禰衡，乘上變大的翊遠去。

待符走遠後，叔弼一臉陰沉地問徐翌：「你們，有方法指引我去找特定的人嗎？」

「有是有，但你還想找誰？」

「郭嘉。」

「還是想為兄報仇嗎？但你已是山鬼，讓你找到他也沒用，你奈何不了活人的。」

「不是為兄報仇，我只是沒法忍受被利用，季佐是兄弟我沒法狠下心腸，但這郭嘉可是完全的外人，不，是敵人。即使沒法對他下手，我也想看看他是怎樣的人。」

「好吧。」

徐翌一臉凜然，心中暗道：「正好，我也要報我的仇，如果你在的話，一定會阻止我吧？」

空中。

禰衡突然問道：「你為何不將所有真相，例如你四弟與你爺爺有所勾結，都告知你三弟？」

符説：「他都死了，就算讓他知道又能如何？比起這，我更想去查查小翌道破的疑點。」

「用三個娃兒就能換上帝王之命那點？」

「沒錯，我在想，說不定不是三個娃兒，而是……」

「三代娃兒？」

符沉默地點了點頭，心中突然想到一個人。

他的兒子，孫紹。

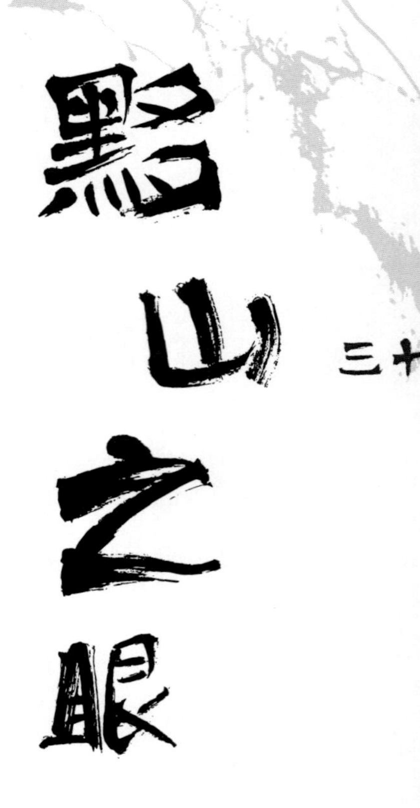

鄴城。

曾是「四世三公」袁紹的根據地。

但此刻，已落入了曹操的手中。

在官渡之戰和倉亭之戰一敗再敗之後，袁紹就一蹶不振，更患上了重病，在一年後逝世。

本被他所一統的河北，亦因為兒子爭位內訌而分裂。

最終，連鄴城這大本營都被曹操吞併。

然而，曹操並不滿足於單單攻陷鄴城，他要的是整個河北，繼而是整個天下。

所以他的謀臣們方到鄴城，尚未安定下來，就要忙於出謀獻策，為下一步，為下下一步布局。

直至夜深，一眾謀臣都敵不過睏倦，相繼昏睡了過去。

唯獨郭嘉仍然精神奕奕，聚精會神地檢索著地圖。

郭嘉字奉孝，官拜司空府軍師祭酒，是曹操的謀主。只見他衣衫散亂，帽子歪斜，似是不拘禮法，但雙目又炯炯有神，全神貫注在工作之上。

「奉孝啊，你不睏的嗎？」曹操另一位謀主，官至軍師的荀攸，疲憊不已地問道。

「我只是習慣夜裡工作而已。」奉孝笑道：「而且我只睡一、兩個時辰就夠。」

「是因為要忙宗家那邊的活吧？但睡那麼少，對身體不好吧？」

「大夫說我身體健康得很呢！而且我才三十出頭。」奉孝說：「倒是公達你別硬撐，你都將近五十，身子受不住熬夜的了。」

「的確……」荀攸掙扎地爬了起來，準備回房，同時又問：「說起來或叔那邊的事，還順利嗎？」

「你是在為阿瞞大人擔心嗎？」奉孝托著腮，淡淡地道：「他似乎開始警戒我和阿瞞大人的關係，已經很少叫我去辦那邊的事了。」

「是嗎？」荀攸本還打算說甚麼，但想了想，還是算了：「那晚安了。」

「只要做好能做的事，未來自然不會差。」奉孝道。

「只有像你這般精力充沛的人，才能事事步步都設計，然後靜待別人自己中伏，所以啊，別說得那麼輕鬆。」荀攸笑道，然後便隱沒於長廊的夜色之中。

奉孝見房中已經空無一人，便脫去那歪斜的帽子，任由長髮傾瀉亂灑。

又再埋首了兩個時辰，將行軍布局推進到遼東後才停了下來。然後，他便離開了房間，在郡府的角落找到把梯子，爬到上屋頂，嘗試遠眺東北方的地形，卻發現徒勞無功，便坐了下來，獨自賞月。

突然，一個凡人看不見的身影踏上了屋頂。

但奉孝為免招惹麻煩，便乾脆當自己也看不見。

卻沒想到，那人竟向著奉孝步步逼近，最後就停在他的面前。

奉孝沒辦法再裝，便問道：「是文若派你來的嗎？」

「你，看得見亡魂？」亡魂問道。

「啊？原來和文若無關的啊？」奉孝鬆了口氣，便問：「那你是誰？來這幹甚麼？」

「你是否郭嘉？」亡魂反問。

「沒錯，正是我，找我有事？」

「對，有仇要報。」那亡魂右手的斷腕突然長出一隻慘白的骨手，然後直插入奉孝的胸膛之中：「報你恣意玩弄孫家之仇。」

奉孝本已察覺危機，卻還沒來得及起身閃躲，就已被插中。

他與亡魂早有交集，所以知道一般亡魂是無法直接傷害活人。

但明顯地，來者並非一般的亡魂。

奉孝只感到胸中一陣苦痛，肺腑像被萬箭穿心一般，難受得無法呼吸，連叫都叫不出來，待那亡魂抽出骨手後，才頹然倒地。

「我姓孫名翊字叔弼，孫策三弟，記著我的名字，雖然當下我無法手刃你，但待你日後病發身亡，我會再來，讓你灰飛煙滅。」說罷，叔弼便消散在月夜之中。

餘下奉孝一人，在房頂上痛苦地掙扎。

丹楊。

叔弼死後，名義上隸屬孫軍的媯覽與戴員將罪名都推到邊鴻身上，藉機奪過了丹楊城的兵權。

駐守附近的孫河聞訊，連夜趕來怒斥二人護主不力。即使二人將逃到山中的邊鴻抓了回來處刑，亦無法壓下孫河的怒火，堅持要親自調查此事。

二人深怕孫河會查出些甚麼蛛絲馬跡，便索性連孫河都一併殺了。

連殺兩名孫家人，本是驚天大事，但還沒等到孫河之死的消息傳回吳城，事情就已解決了。

媯覽恃著山民撐腰，又殺了兩名孫家人，早已沒有退路，便乾脆放肆荒淫起來，不但佔了叔弼的官邸，將丫鬟下人都收歸己用，甚至連徐翌都不放過。

因為徐翌不單貌美動人，又是叔弼之妻，同時亦是山越五伯之一的女兒，為權為欲，他都想搶到手。

但徐翌不但沒有抗拒，反倒主動提出，待叔弼喪期完畢後，就改嫁媯覽，成為媯覽的人。

「嫂子，沒想到你是這種人，竟然要嫁給自己的殺夫仇人！」孫高忿忿不平地道。

徐翌卻不禁反了反白眼，然後說道：「你以為我叫你們來我房中，就是說這事嗎？」

「那……是要說甚麼？」孫高不解。

「恐怕，是復仇大計。」傅嬰渾身顫抖地道。

徐翌見狀，便立馬跪倒在地，向二人叩頭請求：「我能拜託的，就只有你們了！」

「可是……」孫高腦袋仍然一片混亂。

傅嬰則深吸入一口氣，然後亦跪下向徐翌回禮，並凜然道：「叔弼之仇不共戴天！一切聽從嫂子吩咐！」

傅嬰的態度令徐翌嚇了一跳，不禁問道：「我還以為……你是很膽小的人……」

「我的確很懦弱，但再懦弱亦無法忍受他們殺我兄弟，還要強搶遺孀。」傅嬰道。

徐翌一怔，然後望了望孫高，想看看他對傅嬰的性情大變有何反應，卻沒想到他一臉泰然，彷彿早就知道傅嬰會有此反應。

「兄弟情，真難理解。」徐翌喃喃自語。

「那麼嫂子，我們該如何行動？」二人同問。

「召集信得過的人馬，在我改嫁當日設伏，我要媯覽那混帳，在自以為最幸福的日子中慘死。」徐翌冷冷地道。

叔弼喪期結束，徐翌剛離開靈堂脱去喪服，便馬上換上婚服，準備與媯覽拜堂。

一切都如徐翌所設計般順利，媯覽自以為一切早已盡在掌握，同時亦低估了徐翌與叔弼的感情，他一直以為，徐翌嫁給叔弼，只是政治婚姻，山民又怎會真心愛上孫家人。

今日過後，娶得徐氏的媯覽，就不再是區區山越使者，而是成為了山越五伯之一的繼承人，同時還掌握了丹楊的兵馬，加上孫家此時正忙於討伐黃祖，只要他以徐氏女婿身分向山民借兵，就能攻下吳城，說不定還能打下整片江東。

只要他走入堂中，完成婚禮的儀式，他的美夢就會實現。

媯覽懷著無比的期待，推開禮堂的大門，迎接他的，是美麗動人的妻子——

還有傅嬰所率領的滿堂士兵！

「你們是……」甚至沒來得及問話，媯覽已被飛撲過來的徐翌一刀刺向心口。

而戴員亦早已被埋伏的孫高擒獲。

徐翌復仇成功後，再次披上喪服，並提著媯覽和戴員二人的首級，來到叔弼的墳前，並隨手將之放在邊鴻的頭顱旁，然後對著墓碑深深一拜。

待她抬頭時，叔弼正好從墳後現身，二人相視而笑。

笑著笑著，徐翌還是忍不住，痛哭了起來。

許都。

荀家。

尚書令荀彧剛收到曹操寄來的信，正為此感到頭痛萬分。

信中寫道，曹操為荀彧在鄴城起了好幾間大房子，隨時都可入住。

「孟德就這麼想將我調離漢帝身邊嗎？」荀彧望著信，不禁連連嘆道。

「怎麼了，何事這般煩惱？」來者是一個身披青袍，肩上繫著一片黃巾，手執塵拂，腳步無聲的人。

「沒甚麼，只是和孟德的較勁而已。」荀彧問：「倒是四兄你怎麼來了？」

「也是來派信的。」荀諶道。

「信在哪？」

「我就是了，口信。」荀諶道：「奉孝那小子在鄴城中伏，受了重傷。」

「下手的是甚麼人？」

「他説叫孫翊，是孫策的三弟。」

「孫翊？他不是剛死了嗎？」

「對，所以才是我的活。」

荀彧點了點頭，表示明白，然後便將臉埋入掌中，開始深思。

荀諶道：「孫家的人下手，就只能當是楚神的宣戰了。」

荀彧卻搖了搖頭，道：「不，孫翊的話，也可能是山民。」

「都在南方呢，那可難辦。」

「但為了祖神，只能知難而行，我會勸説孟德，在打完烏桓後，開始籌備南下，征討江東。」

「你那三十萬青州黃巾，終於再有用途了。」

「單單青州兵可不夠，我要更多的人手。」

「不過是教訓一下孫家或山民，需要這般大動干戈嗎？」

「教訓？不，我是要去搶一段神話。」

「搶神話？」

「一段開天闢地的神話。」荀彧森寒地道：「只要將那山民所崇拜的古神搶過來，就能補完我們祖神所缺失的起源信仰。」

「說起來，最近好像有個楚神靈巫去了黟山，不知會否與山神有所接觸？」

「最好不要。」荀彧嘆道：「若讓她連繫上楚與山兩派古神的話……那無論她躲在多深的山，都要找出來，格殺勿論！」

「那靈巫竟能讓不喜歡殺人的你下這樣的決心，真不得了。不過，出身在荀氏宗家，注定要背負著復興祖神的責任，難免要沾染鮮血。」

「我知道，畢竟我們乃軒轅祖神的直屬後裔嘛，黃初十二姓之一，我年幼時已背得滾瓜爛熟了。」

黟山。

那個不起眼的山洞內。

大喬如常地齋戒沐浴，然後穿過那幽長的窄道，到那巨大石眼處。

自從來到黟山以後，大喬每日都會來這裡看望石眼。

但石眼每次都只是睜一睜開，看了大喬一眼，然後又再閉上。

為了與石眼連繫上，大喬用盡了各種方法，叩禮、祭品、背誦山越歷史、歌頌群山丘陵、立誓侍奉大神，甚至將她所知的，楚神方的一切都和盤托出。

但石眼依然沒有反應。

洩氣的大喬，甚至大膽不避諱地直呼石眼所有者的原名，亦即山民口中大神的諱名——盤古。

卻仍是毫無反應。

為了能讓石眼作出反應，大喬這幾天不斷思索著各種方法，甚至連睡眠時間都犧牲了，結果，卻讓自己疲憊得連思考都遲鈍了。

明明，山民願意讓她深入聖地深處，就是看中了她的通靈之力。山民發現石眼已有好幾百年，卻始終未能與之溝通，所以才打算將希望放在外人大喬身上。

若大喬仍無法連繫上石眼，她就會被逐出群山丘陵。

這樣，她就無法從神明處問得起死回生之法，就無法讓夫君伯符還生。

為了伯符，大喬已將自己迫入絕境，背棄家門、叛離楚神、叩拜異神，除非黟山接納她，否則天地間將再無大喬容身之所。

但她不悔。

只要有半點可能性，她就願意去嘗試。

甚至去北方投靠祖神她亦在所不辭。

但這是最後方案。

因為大喬實在累得無法再思考，所以只能回想一遍定好的各種方案。

複習完後，大喬的腦袋變得空空如也。

石眼，如常地張開。

如常地望著大喬。

如常地……

這次，石眼沒有合上，而是繼續瞪著大喬。

大喬腦袋仍然空白一片。

所以，有了讓外音傳入的空間。

「來者何求？」一把低沉得如地鳴的聲音傳入大喬的腦海。

大喬沒有錯愕，亦沒有驚喜，幾乎失去思索之力的她，直接答道：「起死回生之法。」

「死，化也，既化，無以回。」

「那……可有輪迴之法，讓我和伯符保著魂魄和記憶，一同投胎，重新再成夫妻？」

「輪迴之法，不計其數。」

「讓我一窺輪迴的奧秘吧。」

「諾。」

然後，石眼的瞳孔閃爍著奇異的光芒。

不，不是在發光，而是在吸收著周遭的光芒，不但光芒，連大喬的魂魄都抵受不住，被吸了入去！

三十 點山之眼

不知過了多久，大喬才回復意識，卻感覺身體輕飄飄的。

她張眼。

眼前是一副她理解不了的景象。

世界，壓縮成方圓的世界，一個個壓縮成方圓的世界並排而立，並如兩鏡相映般，無限地延伸出去。

不單是兩邊，而是前後左右上下，總之是大喬所能認知的方位，都是無限延伸的世界。

大喬的腦袋無法處理眼中所見，在將要發瘋之際，一個碩大無比，橫跨三千世界的發光人形探頭望向大喬。

那發光人形沒有眼睛，但大喬能感覺到祂在看著自己。

同時，祂為大喬隔絕了那無限的世界，讓大喬心智得以保存。

「你是怎麼來到這裡的？」一把溫柔如母親的聲音從大喬腦中響起。

「是大神之眼帶我來的。」大喬拜道。

「哪位大神呀？」

「盤古。」

「噢，祂的眼怎麼隨意帶人來我的維度啊？」

「維度？那是甚麼？」

「抱歉，你是哪個時代的人？」

「漢建安九年。」

「噢，因為我剛去了照料你那時代的千餘年之後，所以用語轉不過來。你就當維度是上界、天國或者九重天之類吧。那麼，盤古之眼為何帶你來呢？」

「因為我想一窺輪迴的奧秘。」

「那就直接把人弄來輪迴之境啊？盤古那傢伙真懶！」

「那麼，神明大人，你能告訴我，輪迴的奧秘嗎？」

「你已親身經歷過了。好啦，人在這裡呆久可不太妙，快回去吧。」說罷，那神明便伸出一指，準備將大喬推回人間。

「等等，可以告知小人，神明大人的尊稱嗎？」大喬問。

「可以啊，你們那時代的人，都叫我——少司命。」

突然，一陣天旋地轉，大喬又昏了過去。

待她再醒來，已回到洞中，石眼亦已閉上。

大喬還無法理解自己經歷了甚麼，腦袋亂得如狂風肆虐的海，表面的浪與海面下的流，交纏推撞，然後，她就此昏睡了過去。

此時，大喬還不知道自己幹了甚麼好事，亦不知道，凡人進出輪迴之境，會讓時間掀起一場海溢般的起伏，令以建安九年為中心的前後數十年，生出眾多能偶爾看到過去未來的奇人。

例如陸績，例如徐翌，例如孫鍾，例如平原朱、管，例如日後被稱為吳中八絕的其中五位，宋壽、鄭嫗、吳範、劉惇、趙達，等等、等等。

雖然，他們所能看到的都是不同的未來，不同的事物，唯獨這夜，他們不約而同地夢到同一樣的景象——

一把焚天大火，直將天下燒成了三分！

鄱陽。

鄱陽位於黟山的南方，是個與吳城形成一個包夾山越之勢的縣。

呂範軍正在鄱陽湖整軍，一副裝作隨時出兵參與討伐黃祖的樣子。

但實際上，他們在等山越作亂，然後出兵討伐。

主營。

主營中，卻不見主將呂範的身影，只有兩個幕僚裝束的人在商議軍機。

那兩人，正是公瑾及那姓龐的小兄弟。

驀然，呂範匆忙來到營中，向公瑾報告：「山越行動了！」

「等好久了！」公瑾拍了拍大腿，然後站起身，對著龐小兄弟道：「走，士元，去放火了！」

—第二部《濁亂青空》完　第三部待續—

後記

一年又過去了，沒想到之前的天翻地覆只是前奏，疫情尚未完全退去，戰爭又來了，而在下筆的當下，戰火似乎成為了平常，疫情似乎亦步向尾聲，但卻感覺未來仍然是一片混亂。

然而，在這片混亂中，有幸仍能完成《三國無常》的第二部《濁亂青空》。

在疫情與戰爭的籠罩下，本作，或者說身為作者的我，無可避免地受其影響，所以整個故事的基調，都由權力與陰謀，變成了大願與犧牲。不過，最後階段的科幻元素，倒是一開始就決定好，因為我雖然喜歡歷史，卻不希望創作時只是還原歷史，當然在一些微小的地方，我還是盡力還原當時的現況，像是茶的出現、尚未普及的椅子、盤古見於信史的時期，還有婚葬與飲食等等。但在人物的思維及世界觀上，都帶著現代的色彩。

或許這樣既似玄幻又帶點科幻的故事有點奇怪，但這就是我想塑造的類型，即使故事由神話時代寫到星海時代，世界觀都仍然一致。

最後又是感謝的環節，要感謝「英雄説書」的説書人阿睿為我寫推薦語。感謝編輯Zeny、設計Marco。這次還要感謝繼續幫我畫封面和插圖的東東，因為我仍未請他吃上一部的那頓飯……

還有還有，感謝女友的支持。能在這時代遇上你，是我的幸運。

仍是那句，願能在《三國無常》卷三再見，希望到時世界變得稍為正常吧？

謝鑫

二零二二年五月二十六日

武俠誌 03

濁亂青空

作者　謝鑫
內容總監　曾玉英
責任編輯　林沛暘
書籍設計　Marco Wong
封面插圖　東東
圖片提供　Getty Images

出版　天行者出版有限公司 Skywalker Press Ltd.
九龍觀塘鴻圖道 78 號 17 樓 A 室
電話　(852) 2793 5678
傳真　(852) 2793 5030
出版日期　2022 年 7 月初版

發行　天窗出版社有限公司 Enrich Publishing Ltd.
九龍觀塘鴻圖道 78 號 17 樓 A 室
電話　(852) 2793 5678
傳真　(852) 2793 5030
網址　www.enrichculture.com
電郵　info@enrichculture.com
承印　佳能香港有限公司
九龍紅鸞道 18 號中國人壽中心 A 座 5 樓
定價　港幣 $98　新台幣 $490
國際書號　978-988-74783-0-0
圖書分類　(1)流行文學　(2)小說／散文